王大智作品集

青演堂叢稿七輯　隨筆

史學家的望遠鏡

王大智

萬卷樓

代序
關於「史學家的望遠鏡」

　　《史學家的望遠鏡》，以文藝復興之歷史影響，作為思考起點；分類地，講述人類各種社會現象。這本書，可以看作有核心思想的文明文化史。

　　書的題目，雖然標明了史學家三字，但是涉及考古學、人類學、社會學、心理學－以及生物學的想法。畢竟史學是一種資料之學，說到觀念與理論，各種社會科學都有獨到之處。至於說生物學，它似乎與人文社會風馬牛不相及。事實上，考古學、人類學、社會學、心理學等等社會科學，發展的時間都不長。它們都是以唯物的科學角度觀察人類；異於傳統以唯心人文角度觀察人類。這種態度的極致，就是將人類還原為生物；視人類為一種高級猴子。這種態度的應用，可以剝開人類種種文化包裝，透視人類行為的原始動機，進而理解個人、社會的運作模式。所以，本書最前面有〈瞭望的工具－生物史觀與理論〉一篇，可以單獨閱讀，也可以作為貫穿全書的觀點。

趨勢與轉折點

　　歷史脈絡的觀察，首重轉折點。轉折點就是關鍵變化，就是把脈絡分成段落。沒有關鍵變化，歷史沒有意義，只是單純的片段紀錄。有意義的歷史，是呈現出轉折的歷史。在這些轉折與變化中，可以看出一些規律。這些規律，才與鑑往知來發生關係。

　　就現實主義而言，最具意義的歷史，是人類的近代、現代歷史。因為過於早期的轉折，將歷史塑形為已知的過去；與我們最接近的轉折，把歷史帶入不可知的未來。這是關於鑑往知來的現實考慮。

　　轉折的發生，有邏輯上的規律性。例如，中國儒家興起，是一個轉折，影響東方兩千年；儒家興起，與大漢帝國的統治需求有關。西方基督教興起，是一個轉折，影響西方兩千年；基督教興起，與羅馬帝國的統治需求有關。人類歷史的規律性，可見一斑。宗教與政治的關係，在不同地域、文化中，沒有什麼差別。（漢代儒家，的確是以宗教形式現身）

　　然而，有的轉折卻有不同結果。例如，西方的文藝復興，由反基督教而起；希望在前基督教歷史中，尋找改變現況文化種子。結果，因為重視希臘的民主與科學，導致西方的驚天巨變。中國的理學出現，由反佛教而起，希望在前佛教的歷史中，尋找改變現況的文化種子。結果，因為重視哲學－先秦的儒家與道家，導致中國在舊有的框架中打轉，墨守成規。

「後文藝復興」時代與「文藝復興化」

文藝復興與理學的轉折，造成了不同的結果。文藝復興不僅僅是歐洲的轉折，也是世界的轉折。這個轉折，讓世界形成了文明的不同區塊。歐洲步入了近現代；其他區塊，則與歐洲出現文明落差，成為被征服者。五百年來的世界，可以稱為「後文藝復興」時代。這個時代中，世界的各個區塊爭相「文藝復興化」。速度快的區塊，進入近現代；速度慢的區塊，停留在中世紀。

個人主義與人類的生物性提升

歷史不斷演進，轉折點也不斷出現。轉折點的出現，是因為上一次轉折出現的問題，不能解決；上一次轉折出現的現象，不適合歷史的後續發展。「後文藝復興」時代與「文藝復興化」，造成民主與科學的大爆發。然而民主制度，雖然基於人權與平等觀念，卻造成了個人主義的無限上綱。

人類是一種群居動物，生活在是一種不合自然法則的群居社會。因為大量人口的群居，導致團體荷爾蒙的極度失衡。長時間以來，人類透過道德、法律、宗教、藝術來壓抑團體荷爾蒙，或者紓解團體荷爾蒙。個人主義不是壓抑或者紓解荷爾蒙的方式，而是釋放荷爾蒙的方式。在不合於自然法則的群居社會中，個人主義是放在每一個人身邊的烈性火藥，不知何時引爆。如果說，慾望是人類的最大亂源，個人主義則是釋放慾望的神主牌。

　　人類與其他動物的最大差別，在於人類可以掌握科學。（自舊石器時代早期始，一塊石頭裂為塊狀與片狀，而演變成石斧與石刀，人類就可以科學的思考問題，科學的解決問題）文藝復興以降，科學以飛快的速度躍進。科學本意是幫助人類生活方便；然而自文藝復興開始，科學達到可以提升人類生物性的地步－人類不需要演化，而可以藉由科學達到演化的目的。這種外在的生物性提升，或者無可厚非。但是人類的內在基因（動物性格）並沒有相對進化。科學，讓人類這種野獸，成為超級野獸。

　　在不合自然法則的群居社會中，超級野獸，只會激化荷爾蒙的衝突。當超級野獸有了衝突合理化的神主牌－個人主義之後，個人、團體、社會、國家之間的激烈鬥爭，是顯而易見、想當然耳的事情。

科學是民主的最大敵人

　　對於民主與科學，本書提出一種反思。那就是：科學是民主的最大敵人。二者在發展上，有難以妥協的本質問題。科學強化了生物能力，民主帶來了個人主義。生物能力與個人主義的結合，將導致民主制度窒礙難行。因為，有科學加持的個人主義，必將輕視民主，破壞民主，破壞民主所強調的人權、平等諸般理想。

　　文藝復興，是人類文明文化的一個轉折點。這個轉折點給予人類民主科學，也給予人類個人主義與生物性提升。個人主義與生物性提升，或者就短時間而言，可以視為進步。但是就長時間而言，都不利

於人類的不自然群居方式。這是文藝復興這個轉折，留下的最大歷史問題。民主與科學，是現代社會的基石。然而，現代社會，是人類的最後社會形式麼？這是種有趣的思考。在歷史辯證，生物演化的認知下，該思考終將受到重視。

2020 年冬，完稿於青演堂北窗

王大智

目次

瞭望的工具－生物史觀與理論

過去與未來－歷史的用處

中國古代，有宇宙二字。所謂「上下四方曰宇，往古來今曰宙」。可見，中國極早便有座標觀念。認為人類的活動，受制於空間與時間。我們在空間中，不能行動自如。（有了光年 light year 概念後，更是明白其不自如）我們在時間中，也不能行動自如；而且，被動地，為時間所強制推移。（佛家所謂的「成住壞空」「生老病死」，只是對於這個強制推移的描述）

宇與宙二字，代表空間與時間，大約以《尸子》為早。不過，其語義的形成與流行，應該更為古老。宇宙二字合用，見於《莊子》「旁日月，挾宇宙，為其吻合」說法。

人類是一種高級靈長類，是一種高級猴子；對於空間與時間，充滿好奇心。對於空間的好奇，導致人類在地球上不斷遊走，並且即將離開地球，尋求空間的更為廣袤意涵。對於時間的好奇，導致人類對歷史重視。並且，長時間整理耙梳，以期對於過去有不同（或者說更清晰）的理解。這是史家 historian 存在的理由。

然而，僅僅瞭解過去，並沒有很大的價值。充其量，滿足了少數

人（史家）的好奇心；對於多數人，形成一種閒暇趣味（娛樂）的選項。歷史要真的有用處，必須整理歷史，探究規律－探究人類活動的類似模式。這種規律，可以幫助我們預測未來。

　　歷史只是故事（舊事）罷了。這些故事，並沒有什麼意義。有意義的，是故事表達出的規律。歷史故事不會重演，重演的，是那些規律。人類，只是歷史舞台上的過客－走了，就不再回來。規律，是歷史舞台上的戲碼；無論什麼人上台，都演同樣的戲。

因此，歷史可以視為一個電腦數據庫，通過對數據的理解，人類得以找到規律，試著理解未來。

　　歷史是個數據庫，（data bank）人類則是獨立的個人電腦。（pc）唯有與數據庫連線，個人電腦才能獲得過往知識，充分運作；唯有通過歷史，人類才能認識自己，知道要往哪裡去。

中國有句古話，叫作鑑往知來－觀察過去，知道未來。鑑，是古代一種盛水銅器。在沒有鏡子（或不普遍）時代，它有鏡子的功用－透過水裡的倒影，看見自己容貌。這句話，以鏡與水象徵歷史功用，很有哲學與文學意味。

　　鏡與水，雖然反映了相，但是那個相，卻是個不真實的假相。我們不是說「鏡花水月」麼－通過虛幻之假，反映現實之真；這種以假觀真的趣味，很有莊周蝴蝶味道；把冷冰冰的歷史問題，抹上了浪漫色彩。

瞭望歷史的工具－史觀

　　歷史是數據庫，裡面充滿人類遺留－遺物與遺意。如何運用這麼多史料，需要史觀。如果史料是一堆甜甜圈，史觀就像一根棍子，把

這些甜甜圈串起來，形成有秩序（可以理解）的一串甜甜圈。孔子說「吾道一以貫之」，史觀就是史家的道；把雜亂無章，看似沒有關係的史料聯結起來，成為有系統的歷史。唯有系統化的歷史，才是可理解，有意義的歷史。

　　然而，老子也說過一句話「道可道，非常道」。（孔子的道，只是自己的道；所以稱為「吾」道）貫穿歷史的甜甜圈棍子，不止一種；解釋歷史的觀點，不止一種。

　　古代印度有瞎子摸象的故事。比較悲觀的說，人類的學術，基本上都有瞎子摸象味道。人文與社會科學不論，自然科學（特別是天體物理學 astrophysics）亦復如是。當然，學術還是辯證地進化著；不過，速度相當緩慢。漢代司馬遷講的好「究天人之際，通古今之變，成一家之言」：雖然對天人、古今問題有所瞭解，也只不過是個人意見罷了。司馬遷的「一家」與孔子的「吾道」相互輝映；顯現出大學問家應有的謙虛與自持。

歷史上有名的史觀，大概有幾種，值得一說：

　　第一種史觀，是天意史觀。這種史觀與宗教的出現，一樣久遠。在中國，自周代開始，國王即自稱天子－神的兒子。他的權力（現實的權力與掌控歷史發展的權力）都來自於神的意思。

　　政治人物利用歷史，由來已久。他們利用歷史（真的歷史或者假的歷史）反覆宣傳，以鞏固權力地位－以說明權力地位的正當性。因此，古今中外都有御用史家。梁啟超在民國初年，說「二十四史非史也，二十四姓之家譜而已」，也是這個意思。

埃及法老的太陽神子說，歐洲的君權神授說，（Divine right of kings）

也都屬於天意史觀。這種史觀的出現,與民智不開化很有關係。它建立在人民恐懼神明的心理上;故宣示歷史發展,由神明主導。如今,這種史觀已經少人提及。

天意史觀,在中國有一個支流。主導歷史的雖然是天意,但是,那個天不是神明,(意志天)而是數術。(自然天)數術是偽科學—披著科學外衣的玄學—陰陽五行之說。先秦西漢之際,陰陽五行開始流行,以為自然界的數字、顏色、方位等種種變化,可以導致人間種種變化。(政治興替、歷史演變)這種相信歷史不由神明控制,而由自然造化控制的史觀,似乎比純粹天意史觀進步一點。殊不知,它與前者一樣不可信。因為,無論是神明還是數術,都由執政者在背後操弄。

第二種史觀,是道德史觀。道德史觀似乎特別發展於東方,它的出現,與儒家神話(myth)關係密切。道德史觀認為:權力賦予有德之人,由之引領歷史。這種說法的政治語言,就是聖王與禪讓。聖王與禪讓,乃周人之特有神話,而由漢儒加以發揮;其中最有名的,為「以氏紀事」(或者「以事紀氏」)與堯舜禹禪讓。事實上,「以氏紀事」時代與堯舜禹時代,皆無有文字,事蹟根本無法考證。況且,權力由道德因素轉移,完全不合政治常識。這種道德(神話)史觀,徒然讓儒家有那麼一點自信,得以對現世帝王,施以微弱的道德勸說。

以氏紀事,即是燧人、有巢、神農、伏羲諸氏。他們是古代的聖王—聖人政治家。(聖人之英文是 saint—有德有愛心的宗教人物。政治人物而有德有愛心,是儒家的奇異發明)上述諸氏所以留名,不是因為政治事蹟,而是因為對人類有道德、有貢獻—用火、建屋、種植、捕漁。他們四個人,代表了人類歷史上的幾個發展階段。這

是最早將道德（神話）與歷史發生關聯的說法。至於堯舜禹禪讓神
話的出現，當與掩飾周朝早期王權爭奪有關。（太伯、仲雍、季
歷，以及周公、成王的政治鬥爭，都被美化了，他們都如堯舜禹般
的禪讓－主動而心甘情願的交出政權）

第三種史觀，是經濟史觀。如果說天意、道德（神話）史觀，建
立在無知與迷信上；經濟史觀，就是人類理性觀察歷史的開始。經濟
史觀出現，顯然與科學興起有關。

凡是離開迷信（神明、神話）的學術思想。（無論自然或者人文）
都與科學興起有關。科學要求實證，凡是不能實證的學術，自文藝
復興以降，都受到檢視。人類文化中的的迷信成份，也因為不得實
證，而漸漸為科學所取代。

天意與道德（神話）史觀的重點，集中在歷史人物身上。（天意眷顧
某人，某人特別有道德）經濟史觀，則側重於歷史大事件上；認為事
件－尤其是經濟事件，足以引導歷史發展。如果說，天意、道德（神
話）史觀類似微觀史觀，則經濟史觀開始了宏觀的檢視歷史。經濟是
人類的生活方式；生活方式改變，導致歷史方向改變。

經濟史觀最有名的論述，當屬馬克斯（Karl Marx）的歷史發展五階
段：原始、奴隸、封建、資本、社會。（共產是一過渡階段，終之
以社會主義）馬克斯多半歸類為社會學家，而非歷史學家。他的五
階段說受攻擊；因為，在人類活動的大多數地區，並不能見到這五
階段的完整出現，或者序列發展。這是他受限歷史資料掌握，又急
於建立社會模型（model）所致。但是，馬克斯提出的經濟影響歷
史發展說法，功不可沒；他宏觀的檢視歷史事件，而不微觀的檢視
歷史人物，對歷史學而言，有重大貢獻。（更清楚的說，社會科學

讓人文科學開了眼界）

上述三種史觀，大約可以作一簡單分類：（偏重人的）微觀史觀與（偏重事的）宏觀史觀。中國有句俗話「時勢造英雄，英雄造時勢」，也就是樸素的形容宏觀、微觀兩種史觀。這句話，有比重與次第的問題，不好偏廢－時勢當然重於英雄，客觀當然重於主觀。時勢是重大事件，因為重大事件，才能讓英雄「乘勢而起」；引導大勢，創造新局。「時勢造英雄，英雄造時勢」不是一個選擇題，而是一個有前後關係的方程式。（歷史規律）

試問，孔子處於春秋亂世，為什麼不得志呢。因為，時不我予、勢不我予。在那麼崇尚僭越的時代，提倡正名－大家守規矩；所以不能「英雄造時勢」。再試問，孫中山在清末列強侵華之際，驅除韃虜，革命成功。如果，孫中山在乾隆盛世去談革命，能建立共和國麼。他的成功，則是典型的「時勢造英雄」。

微觀與宏觀，是檢視歷史的兩個法寶。（雖然有輕重、先後）但是，各以其中的什麼角度去檢視，卻大有討論空間。例如：以為個人（微觀）可以左右歷史者，為什麼獨獨以為道德，而不以為智慧、武力可以左右歷史呢。又例如：以為事件（宏觀）可以左右歷史者，為什麼獨獨以為經濟，而不以為政治、軍事可以左右歷史呢。

觀點就是觀察角度，（angle）不同的觀察角度，就是不同的方法。（method）學術中的各種方法，是讓學術可以緩慢前進的原因。角度並不是那麼容易尋找。角度，就是讓瞎子得以繼續摸象的那隻手。

生物史觀與其內涵－文質理論

　　史觀，是史家的重要工具。沒有史觀的史家，就像空有一屋子銅錢，沒有辦法攜帶出去。要攜帶出去，需要一根繩子，把它們串起來。

　　這是匹茲堡大學 University of Pittsburgh 童恩正教授對我說的－他的兩位老師，徐中舒和蒙文通故事。這個說法，顯然不如我的甜甜圈說法生動。

我觀察歷史，有自己的史觀。我稱它作生物史觀。翻譯成英文，即是 Biological interpretation of history。生物學是我最喜歡的學問。學歷史之前，差一點學了生物。生物學，可以解釋宏觀（時勢）歷史。也可以解釋微觀（個人）歷史。

　　生物學 Biology 是一門有趣的學問。由法國人拉馬克（Lamarck）建立；因達爾文（Darwin）而備受爭議。它是文藝復興以來，（晚於天體物理學）受到宗教攻擊的重點學術。它之所以有趣，在於其不具備反覆試驗的條件，而游移於自然科學邊際－是有點人味兒的科學研究。

　　人類是靈長類動物，是一種高級猴子。因為高級緣由，我們發展出異於猴子的文明文化；因為猴子緣由，我們內心（基因）中有著與猴子一致的慾望衝動。換句話說，我們是一種：經由文明文化包裝起來的猴子。那個「沐猴而冠」的成語，不是罵人的話；我們都是戴著帽子的猴子。

　　俗說以為，歷史即是人類歷史。事實上，任何事物，只要排進時

間序列之中，都可以算是歷史。宇宙有歷史，地球有歷史，地球上的動、植、礦物各有歷史。猴子當然也有歷史；人類歷史，只是一種高級猴子的歷史。我們研究一種高級猴子時，當注意兩件事：高級是人的文明文化，猴子是人的科學本質。天意史觀與道德史觀，囿於人類的高級特質，迷惑於文化氛圍之中。經濟史觀，囿於人類的猴子特質，迷惑於科學氛圍之中。

　　因此，提出一種檢視人類歷史的基本標準，是極為必須的。那種標準，就是 生物史觀。唯有自視猴子，（動物之一種而已）史家才能得知人類的行為動機。唯有自視高級猴子，（有文化的猴子）史家才能得知人類的包裝方法。這樣的歷史標準，是持平的檢驗標準。這樣的歷史，是可以從科學與文化上，雙軌理解的歷史。也就是說，我們應該以人類共有的動機與方法，作為解釋歷史的基本架構。

　　中國古代（先秦）的陰陽理論，廣為世人所知。但是少人知道，古代（先秦）還有重要理論－文質理論。陰陽強調相反相對，文質重視表裡內外。然而文質除了專指表裡內外，還隱藏著生物學的進化思想。可惜，中國儒家把它完全導向倫理學去了。

　　文質理論，就是高級猴子問題的學術化，就是生物史觀的內涵。文，即是文化。（文原意通紋，野獸的皮毛花紋意思，引申為包裝、隱藏意思）質，即是本質。（該字上二斤下一貝。斤是斧頭代表武力，貝是貨幣代表財富。武力、財富，是人類生存的本質問題，核心問題）因此，文質理論，就是以文（包裝）隱質（武力、財富）的理論。這種理論，是人類歷史的基本規律。（甚至可以說，具有符號

性、公式性的基本規律）文與質，代表了人類這種猴子（智人 homo sapiens）的特殊性格。我們像其他動物一樣獵食，（質）但是我們又把獵食行為包裝起來，（文）我們的獵食高級於其他動物的獵食。文質理論，是觀察人類行為的方法。它比西方生物演化理論早得多；也比西方道德倫理學真誠得多。文質理論，解釋了高級猴子問題，解釋了人類歷史問題。我的生物史觀看起來很新穎，很西方；其實，它有相當的東方血統。

孔子說「質勝文則野，文勝質則史；文質彬彬，然後君子」。不會包裝的人是粗野的，太過包裝的人是虛偽的；唯有平衡兩者，才是君子之道。孔子講的，是高級猴子的自處之道－如何在高級與猴子之間取得協調。大家都視孔子是道德學家，誰知他這個道德學家，深懂生物學呢。

歷史的生物性表現－詭詐與有力

生物史觀的內涵－文質理論，是一部雙眼望遠鏡。它不像上述諸種史觀，以單一角度解釋歷史現象；而是同時以兩種角度，（生物與文化）檢視歷史。不過，那兩個鏡筒並不是那麼容易聚焦。因為人類的生物特質基本相同，但是文化特質千奇百怪。人類歷史，經過文化的刻意包裝後，是一部極其扭曲的慾望之史。

動物也有慾望，然而人類的慾望，遠遠超過動物。（逗獸慾，只是人類非常初級的慾望而已。人類慾望，可怕之處在於精神慾望）人類與動物的最大不同，在於智力。當智力與慾望結合時，形成更大慾望。同時，滿足慾望的方式，也不再單純。這種輔以智力的滿足慾望

方式，簡言之，叫作詭詐。

　　動物歷史，也是一部慾望之史，多由有力者寫成。人類的慾望之史，則多是由詭詐而有力者寫成。對於詭詐而有力，人類常自我美其名曰：智勇。

　　至於說，總是與智勇在一起的那個仁字呢。不過是高級詭詐罷了。如果說仁是高級詭詐，大約民初時期李宗吾先生，要舉雙手贊成的。

　　詭詐而有力，即生物的生存之道；更是人類的生存之道。生物的鬥爭，可以分為兩個方向。一，對外；（不同物種）二，對內。（同一物種）因為覓食問題，生物對外鬥爭是必須的－依靠詭詐與有力獲取食物。生物的對內鬥爭，則主要發生於群居動物之中。

　　群居，是造成雄性荷爾蒙不平衡的最大原因；雄性彼此間的距離接近，導致求偶與覓食（分配食物）間的激烈鬥爭。不過，動物的對內鬥爭，目的是驅離，鮮少殺死對手的情形。因為，殺死同群對手，即是減少群體力量，是不合於演化法則的。人類因為群居人數與武器發展問題，同物種間的鬥爭極為慘烈，而不見於其他動物。人類是一種群體動物。所有的群體動物，都分為強者（領導者）與弱者（被領導者）兩部分。強者領導弱者，一起活動，是群體動物的特色。人類也是如此，人類的歷史，是一部群體動物的發展史；也是強者領導弱者，而發展出來的歷史。

　　強者特質是什麼呢？基本而言，就是超乎弱者的詭詐與有力（智勇）不過，動物世界是個講究體型力氣的世界；強者與有力者可以劃

上等號。早期人類，大約與動物相當；但是隨著智力增長，詭詐型的強者出現，人類突出於動物的地方出現；群體基本由詭詐者主導，歷史基本由詭詐者主導。人類強調詭詐而不強調有力，絕對與其不合理的群居方式有關，而與道德無關。

> 一個人可以打十個人，但是，一個人絕對不能打一千個人。這是個簡單的數字問題，而不是倫理問題。兵學家《孫子》對於這種數字問題，最為清晰。

群體中，詭詐的目的，是柔和的掌握群體。詭詐者也是一種有力者，只是他的力量來自於群體，而非個人蠻力。詭詐是人類的智力表現，是人類歷史的特色。

> 中國有所謂以德服人之說，以德服人與以力服人是相對的。曾幾何時，有力而無德者，被視為壞人。有德而無力者（「不得已」才使用力－老子說法）者，被視為好人。事實上，有德的好人，絕對不是作盡好事的人物，而是有辦法讓別人以為他作盡好事的人物。換句話說，人類其實很簡單，跟動物一樣講究詭詐而有力；只是人類有其優美語言，名之曰智，名之曰德；有德、有智，就是詭詐；跟動物沒有什麼差別。

詭詐與有力，就是生物界的生存法則；也是生物史觀（文質理論）的基本論述。文就是詭詐，質就是有力。

> 動物世界很容易理解：強者有力，弱者屈服於有力。人類（與其歷史）不是很容易理解。因為，人雖然是猴子，卻是高級猴子，詭詐才是其特點。詭詐可以令人屈服麼？詭詐不能屈服，詭詐的目的是欺騙而不是屈服；是柔性的裹脅而不是剛性的征服。人類歷史，在強者對弱者的（有力）屈服與（詭詐）裹脅中，交叉進展著。

人類詭詐與有力的取捨分際，在於形式強弱。形式強時，人類一樣喜歡採用暴力方式屈服之；所謂「強凌弱，眾暴寡」。（《孫子》）形式弱時，才會用詭詐方式裏脅之。人類因為群居者眾，形式複雜，強弱不明；因此詭詐之術盛行焉。

詭詐的施行方式，基本有三：理、情、利。人類行為，包裝在這三種東西中，真相就模糊不清。這三種東西，是強者裏脅弱者的重要武器。分述如下：

理，就是講理。（說之以理）人是高級靈長類，智慧發達，擅於理性思考。有一句話叫作「真理越辯越明」，事實上，（人文的）真理不會越辯越明，辯論勝利者，未必站在真理一方。勝利者，常常只是擅於辯論。辯論失敗的一方，未必不站在真理一方。失敗者，常常只是不善辯論。理智強者，在思路與邏輯上，控制了理智弱者。（或者說，理智強者欺騙了理智弱者）弱者在理智被控制下，往強者規劃的路上走去。

以理服人的最好例子，就是民主政治。執政者未必有最好的政見，但是一定是最會講理的人。說之以理，是最高級的詭詐行為（所謂理性選民，皆以為自己因為聽懂政見，而投下神聖一票；絕不會承認自己被更高級理智所操控。因此，詭詐得以實現焉）

情，就是感動。（動之以情）人類因為左右腦的分工，除了理智外也有感情；並且其感情，遠遠超過其他動物。（動物的感情，基本表現在母愛上。根據實際觀察，動物的母愛多半在幼獸可以自立時，便消失無遺）感情是共鳴的表現，是施者與受者的精神互動。因此，感情之可以操縱，毫無疑問。人類的戲劇活動，在動物界獨樹一幟。

表演者可以輕易地引領觀眾哭、笑。然而，演員並非存在於舞台上而已；與社會上的表演者比較，戲劇演員實屬小兒科。社會中的動情者，受制於煽情者；（或者說，煽情者欺騙了動情者）隨著煽情者的鼓動，往煽情者規劃的路上走去。

　　以情服人的情況，常見於革命與暴動之時。動情者自身的情緒問題，為煽情者轉化為群體情緒，而執行煽情者交付的任務。這種關係，超過演員與觀眾，而類似偶戲者操縱木偶。動之以情，是最無形的詭詐行為。（參與革命或暴動的群眾，不會承認自己被情緒操控；因此，詭詐得以實現焉）

　　利，就是賄賂。（誘之以利）賄賂是法律名辭；主要指檯面下的私相授受。殊不知，檯面上的公開賄賂，是更為厲害的賄賂手段。以動物來講，賄賂就是獲得（不需覓食而來的）食物。講的更明白，就是豢養。野性動物都可以接受豢養，形成馴化，何況是人類呢？經濟誘惑，是驅策群體的重大手段。能夠供給食物，（引申為滿足一切慾望要求）是控制群體的核心技術。《史記＼貨殖列傳》說「天下熙熙，皆為利來；天下攘攘，皆為利往」。利（食物、慾望）的追逐，是動物最大本性。利強者，操縱利弱者，易如反掌。利弱者多半屈從於利強者，而聽其使喚。（或者說，利強者欺騙了利弱者）司馬遷的「來、往」二字，說的最好。利強者驅策利弱者來來往往，好像動物一般；往利強者規劃的路上走去。

　　以利服人的最隱晦例子，就是資本主義。資本家對下控制員工，對上控制代議士；形成現代社會的真正幕後操縱者。誘之以利，是最本能（動物）性的詭詐行為。沒有人明說資本家賄賂，沒有人明說資本家是民主政治背後「牧者」。因此，詭詐得以實現焉。

理、情、利三者合流，是多見於人類社會，少見於動物社會的詭詐之術。人類歷史除了單純暴力外，受到這三種行為的巨大影響。所謂扭曲的慾望之史，可以從此略見其端。

生物史觀與歷史考證

歷史是真是假，是極為普通的一句話。這句話講的平常，卻很籠統。它真正的意思是：不大信任歷史記載。歷史上的眾多事件，每個都是真的嗎，還是有不少假的？判斷歷史人物、事件的真假，是史學的基礎。經由真的人物與事件，才能夠拼湊出完整歷史。如果基本資料都是假的，怎麼可能拼出真歷史呢。拼不出真歷史，怎麼談歷史規律，歷史價值呢？

判斷歷史事件真假，稱之為考證。生物史觀，是考證歷史的利器。歷史，通過人類的文化、生物特性（文與質，詭詐與有力）檢驗之，變得透明清晰。歷史上的事件，基本上都以慾望為動機。如果我們看不出慾望動機，那是因為它被巧妙地隱藏在文化後面。對於任何歷史事件，如果不基於生物史觀（文質理論）考慮之，而基於其他史觀考慮之，難以還原真貌。

說個有名的例子罷。「黃袍加身」是宋太祖趙匡胤得天下故事。陳橋兵變，趙匡胤部眾擁立他即天子位；把皇帝的衣服披在他身上。這個故事顯示：趙並沒有篡位（篡後周恭帝）而是為部下所難，「不得已」而改朝換代。這種說法，是典型政治語言，外交辭令。篡位是猴子行為，「黃袍加身」是高級猴子行為。篡位是質，是有力。「黃袍加身」是文，是詭詐。

　　非但獨立歷史事件如此，廣泛的人類文化，也是一般。例如中國喜歡說父（母）慈子（女）孝，而以為是一種本能。慈與孝－兩代善意的和好相處，在子女年幼之時，的確是一種本能。但是觀察動物得知，在子女長大後，卻不再是一種本能。（動物多要求子女離開，而完成自己一生）如果強制其慈孝，（關係的親密）則衝突生焉。（老子談論此事甚多）強制慈孝，是上對下的強制，其目的不過是養兒防老。慈孝是文化，防老是動機。一個是文，一個是質。人類的歷史，是經過層層包裝的歷史。其他的史觀，多半給予歷史更多的包裝。生物史觀，則是打開各種包裝，見著生物本質的一種工具。

　　但是，歷史價值不在考證單獨事件，（就完整歷史而言，所有歷史事件，都不過是零碎事件）而在於瞭解歷史演變，得出其中規律。當我們面對歷史演變（發展、脈絡）時候，文質史觀更為有價值。歷史演變與歷史事件的不同，基本上，在於事件範圍小，而演變範圍大。（由好多事件聚集）這種大小的不同，可以用個人意志與集體意志比喻。當歷史事件小的時候，因為參與人數少，各種因人而異的因素，容易混雜其間，發生影響。當歷史事件大（牽涉演變、發展、脈絡）的時候，人類的共同特質（高級猴子特質）更有絕對主導性：獵食特色，更加顯露無疑，貪婪慾望，更加顯露無疑。國家與國家，民族與民族之來往，純粹是獵食與被獵食行為。（質－有力）所謂合作，只是集體獵食的代名辭罷了。但是，基於高級猴子特質，這些獵食行為不能明目張膽，必須掩蓋以各種名目；所謂「師出有名」。（文－詭詐）那個時候，強權就要祭出天意、道德等等模糊的歷史觀點了

－因為宗教，因為神的意志，而得以大規模獵食；因為道德，因為正義，而得以大規模獵食。

這種情況，在二十一世紀，仍然發生在已開發的強勢國家中。例如：總統就職典禮以聖經發誓，軍隊中設置神職人員。例如：侵略別人國家，稱呼別人為邪惡。自己永遠站在神明一邊，自己永遠站在道德一邊；對手麼，則是為神明所棄的不道德集團。這些強勢國家，並非信神明，並非講道德。只是神明與道德，是攻擊對手的最佳武器。三千年前如此，只怕三千年後，還是如此。神明與道德，運用起來真是有效，真是順手。侵略是質，是有力。神明與道德是文，是詭詐。

常言道：國家與國家之間，只有現實利害，沒有真正朋友。在人類的集體意志活動中，生物史觀，展現出更為清晰的規律性格；高級猴子理論，展現出更為清晰的規律性格。

───────

天意史觀（神之意志）是一種強勢的欺騙史觀－是人類社會一種上對下的欺騙；是執政者通過宗教恐嚇，隱藏其生物慾望與動機，欺騙人民的史觀。這種史觀，在民智開放的社會，不應該受到重視。這種史觀，是史家只見其文，不見其質的史觀。

道德史觀（善之意志）是一種弱勢的欺騙史觀－同樣是人類社會的一種上對下的欺騙；是執政者通過愚民教育，隱藏其生物慾望動機，欺騙人民的史觀。這種史觀，在民智開放的社會，也不應該受到

重視。這種史觀，也是史家只見其文，不見其質的史觀。

至於說經濟史觀，它是一種科學史觀；卻只是生物史觀的一部分。就慾望而言，人類與動物的差別，在於動物慾望僅僅是物質慾望，（求偶與覓食）而人類慾望，卻有大大的精神部分。這一部分，是人類所以複雜之原因。經濟史觀，是專門講吃東西（覓食）的史觀，是把人類視為單純動物的史觀。它發現了人類是猴子，卻忽視了人類是高級猴子。這種史觀，是史家只見其質，不見其文的史觀。

生物史觀，是對於人類特殊性（高級與猴子）的一種統一。它重視人類的先天生物性格，也重視人類的後天文化性格。重視人類歷史的物質取向，也重視人類歷史的精神取向。生物史觀，抓緊著科學與文化；抓緊著文與質（詭詐與有力）兩件事－以質解釋人類為什麼作了那些事，以文解釋人類如何作了那些事。文與質，就是人類行為之方法與原則。史學家，不應該在人類這種高級猴子，跳縱於文質之間時，受到迷惑。

總述一　一個大轉折

聚焦民主與科學

　　觀察歷史，不是簡單的事；因為人類活動時間長，地域廣，資料繁瑣。相對而言，觀察未來似乎簡單一點。因為近代歷史，綰合在兩個問題上：一曰民主，二曰科學。隨著全球化（globalization）趨勢，這兩個問題要將全人類，不分民族與國家地，推向未來。

　　全球化，可以有兩種意義。一，政治口號式的全球化：由地表最強國家，將其生活方式（短時間的）透過各種媒介傳播於全世界。這種有強迫性的全球化，受到一些國家抵制。深入的說，它使得有生活特色的地區，失去民族傳統。淺顯的說，它導致全球各地，看起來都一樣。二，文明層次的全球化：世界之人類，經由長時間往來交流，自然地，擁有比較接近的生活方式。這種全球化，是一種歷史進程上的必然。交通（communication）在其中扮演重要角色，地理大發現（The great geographical discovery）助長了它的速度。本文的全球化意義，偏重後者。

　　民主與科學，是兩個可以不發生關係的名辭。它們被放在一起，

大約起源於文藝復興（Renaissance）時期。西方的中世紀，是神權思想的世紀。因為長久與政治結合，基督教發展出龐大勢力。

政教合一，是宗教在歷史上的常態發展。近世宗教，講究個人信仰自由，並非宗教的原始功能。宗教與政治的漸行漸遠，不是由於宗教良心導致，而是宗教為政治所遺棄－人民對宗教的信仰與依賴，大不如前。宗教不再是政治的優良助手，不再是輔政的有效工具。近世政治框架下，政府與人民的互動關係改變；政府不需要額外恐懼（對於神的恐懼）作為鞏固政體的訴求。

基督教不但在精神上，虛擬地控制人民，在法律（宗教法庭）財政（十一稅）軍事（十字軍）等等實體運作上，都有獨立於政府之外的強大力量。中世紀基督教的強大，難以想像。同時，它的腐敗，也難以想像。

最有名的，應該是發行贖罪券了。（Redemption voucher）中世紀教廷，公然販售通往天國的通行證。這種斂財、詐財方式，與基督教（或者任何宗教）的教義大相徑庭。這樣一種團體，掌握化外的法律、財政、軍事等等權力，其現實上的可怖，遠遠超過宗教的可怖。（神之可怖）

歐洲中世紀，是所謂的黑暗時代；（dark ages）是整體文明衰落而基督教獨強時代。因此，文明衰落與基督教興盛間的關係，變成一種必然聯想。如何挽救文明（同時打擊基督教）逐漸成為一種思想上的顯學。

當時歐洲，雖然已經百弊叢生；但是蒙古入侵，必是令歐洲感覺到衰落與黑暗的最大原因。蒙古入侵，是歐洲史上未有的歐亞衝突；其結果是一敗塗地。至於黃禍（Yellow Peril）說法。則晚至十九世

紀末二十世紀初；（與蒙古沒有直接關係）該語彙與觀念，出現在帝國主義大舉略奪亞洲的時候，實在荒謬已極。

在這種反省的探討中，歷史思考發揮了很大功用：1 未有基督教之先，人都是怎麼活著的。2 他們活得好不好。3 他們的生活方式，可否應用於現代以及未來。在鑑往知來的思考裡，約略得出一些結論：基督教未有之先，以希臘文化最為璀璨；希臘人活得不錯，健康自信且有創造力；他們的最大遺產，可以簡單歸結為民主與科學；民主與科學是挽救文明文化、打擊基督教，讓歐洲進入下一個紀元的利器。這種歷史思考與其結論，就是文藝復興的活動核心。文藝復興是西方鑑往知來的大反省；經由這種鑑往知來，西方文明，得以再生與新生。（rebirth and new birth）

反觀中國，宋代理學的出現，也可以說是一次文藝復興，也可以說是一次鑑往知來大反省。其結果，是完全的失敗。西方找到了強化文明的民主與科學，中國找到了弱化文明的儒家與道家－與釋家合而為一，成為更保守迂腐的哲學思想。中國懂歷史麼？會運用歷史麼？知道鑑往知來、知道歷史與未來的關係麼？在文藝復興與理學運動的兩相比較下，值得深思。

就這樣，歐洲人讀歷史、用歷史，從歷史裡找到兩樣寶貝－民主與科學，成為歐洲的兩把長劍。歐洲人利用這兩把長劍：面向未來，建立了近代歐洲國家；同時，揮向歐洲以外地區，讓歐洲國家與其他地區國家，有顯著不同。這種不同持續擴大，最後形成歐洲與其他地區，處於不同文明世代－歐洲快速進入現代，其他地區，則陷在中古的泥沼裡。

全球化，本是一種無奈而緩慢進行的自然現象。人類通過各種交通方式，（和平的與不和平的）把各自的文化特徵，輻射出去－在各自輻射過程中，強勢文化覆蓋弱勢文化，取代弱勢文化；弱勢文化益發弱勢，以致消失。

如果，試著以（生物學）弱肉強食理論，檢視人類歷史上的全球化現象，可以得到一種怪異的模糊影像。

文藝復興後，歐洲人憑藉著文明優勢，爭先恐後地湧向歐洲以外地區，征服全世界。並且，在全球各地建立國家與殖民地。這種全球化，是通過征服出現的全球化；全世界都籠罩在科學與民主的光輝裡，全世界都籠罩在古希臘的光輝裡。這種全球化，是一種文明落差式的全球化；對其他地區而言，可以說是一種（生物性的）獵殺與滅絕式全球化。

中國百多年前受到的列強侵略，在孫中山的政治認識中，滿清腐敗是主要原因－因此「驅除韃虜，恢復中華」，認為可以藉由改朝換代，政治地解決列強問題。事實上，當時歐洲與亞洲，不是國力強弱問題，而是文明落差問題。歐洲已經進入現代，亞洲還在古代。這種落差，在歐洲遇到非洲、美洲的時候，分外明顯－那是現代民族與古代民族間的戰爭。當時歐洲人對其他地區的搶奪，（不講法律，不講道德）主要是出於鄙視；一種生物落差上的鄙視。所謂「白種人的優越」，不來自人種學的研究，來自生物學的驕傲。

然而，時間是沒有情緒的。無論過程如何崎嶇、殘酷，歷史長河仍舊繼續流動。今日的人類世界，是民主與科學議題（無論贊成與否）籠罩下的世界。明日的人類世界，也會以這兩個議題為主軸地演

變下去。因此，了解未來世界，離不開文藝復興以來的歐洲文明；離不開希臘流傳下來的文明因子。

總述二　回首看民主

人類的早期政治運作

民主，是從希臘流傳下來的一種政治制度。民國初年，中國與世界往來既多，眼界大開。所謂國故派，見著外國有的東西，皆以為在中國必然也有。（以為相抗衡）對於民主二字，便有人以為，中國最早民主思想，源於孟子的「民為貴，社稷次之，君為輕。是故得乎丘民而為天子」。殊不知這句話與民主完全沒有關係。孟子只是提醒當政者：人民是重要的，得到民心的人，可以王天下。（也即是說，千萬不要失去民心了）孟子可沒有說過，人民作主這樣的話。中國與民主最接近的思想，非墨子莫屬。但是因為諸般原因，沒有結出民主的果實。

中國的先秦諸子，基於不同的身份背景，各自提出主張。（多半是社會走向的主張）例如：老子是王室的史學家，他以王室利益為第一優先。儒家的孔子，是職業官員，他以擁護封建制度為第一優先。（中國傳統政治思想，以老子「聖人不仁，以百姓為芻狗」那句話為中心。儒家是最講究文質的學派，在文質理論的要求下，把老子那句話包裝的很好）至於說到墨子，他是個下層社會的工匠，

他以人民的利益為第一優先。可惜犯了「聚眾」與「帶劍」等封建大忌，（成立軍隊，或者說，組成有武力的人民團體）早早就被中國皇帝趕出思想學術界。墨子著作，漢代便已消失；而於宋代《道藏》中拼湊回來。到了清朝末年，墨子思想才又曇花一現地被人提起。

民主是一種不由個人獨裁，而由眾人參與的議會政治。（可以透過投票、舉手、鼓掌、Aye or No 聲音大小等等，得出眾人的政治主張）孫中山說過「政，是眾人之事」「政治，是管理眾人之事」。可見民主這種政治運作方式，必須在群體之內施行之。如果沒有「眾」，（沒有議會）僅僅是單獨個體，說不上民主問題。

動物有獨居與群居之分，而人類是一種群居動物；早期（舊石器時代）多半以家庭為活動單位－這個家庭，由一位雄性領袖領導。一位雄性領導的群居形式，在動物界是常態。（無論其為草食或肉食）由一位雌性領袖領導的群體，比較少見；以大象最為出名。無論雄性、雌性領導，體型碩大都是重要原因。體型較大者，便有領導權力。

這種以大取勝的強勢領導方式，因動物的求偶、覓食活動而為必然。較大的動物個體，表示體能強壯。（基因優良）長利而言，它能夠令多數雌性受孕，有助物種演化；短利而言，它能夠帶領群體覓食，有助物種生存。基本上，群居動物的領導模式，都是人類的獨裁政治；動物沒有民主這種統治形式。

物種演化這件事－優良基因傳遞這件事，實與民主制度南轅北轍。

在人類而言，已經因為社會的制約，使得自然演化不可能繼續進行。

舊石器時代人類的群居社會，與動物社會相差無幾－由雄性獨裁領導的家庭組織。到了新石器時代，因為經濟合作的需要，（畜牧與農耕）而開始了部落組織。部落與家庭結構不同。其最大差異，在於部落由是家庭組成。部落中，有許多家庭的（雄性）領導者共處。這些家庭雄性領導共處一起時，矛盾出現了。這些雄性在各自家庭中，都是領袖；但是在部落中卻未見是領袖。部落的領袖只有一個；在生物史觀的考察下，必然由最為有力而詭詐者擔任。那麼，部落中的其他雄性如何自處呢？他們要跳躍在（家庭）領導者與（部落）跟隨者之間。他們的心理，顯然是不安與不平的。

這時候，分工便要出現。分工起源農牧社會的經濟複雜化。分工，使得一些類似小組長的人物出現。小組長的出現，有利於緩和雄性們的不安與不平－大家經由分工，而得以某些程度上權利共享。權利共享，似乎有那麼一點民主味道，但是絕對不等於民主。最後經濟決定權，還是在部落領袖的分配上。

民主思想與制度，必須在物資更為發達之後，方才出現；物資發達，是嫉妒與爭奪的先決條件。物資發達了，經濟問題就更複雜了；就要以政治手段解決經濟問題了。那是國家出現以後的問題。新石器時代部落，不具有民主的經濟條件。民主，也不是部落領袖需要關心的事情。

民主的由來與發展

　　愛與怕的情緒，是統治者追求的的兩把利劍－因為愛，而擁護領袖；因為怕，而臣服領袖。這種情緒控制，在動物界，亦是如此。動物的怕，是直接暴力。動物的愛，是食物分享。就人類而言，武力與經濟是基本的控制手段。

　　在西方，以中世紀義大利的馬其維利（Machiavelli）講的最徹底。（他以為怕比較重要）在中國，則以戰國末期的韓非子講的最徹底，（他也以為怕比較重要）他稱怕與愛為「二柄」。他的時間，遠遠早於馬其維利。

　　隨著社會形態的改變，怕與愛－武力與經濟，在統治技術上，有了變化的可能。統治者心中的天平，有漸漸從武力移向經濟的傾向。

　　這種移動，和國家的人口眾多，有絕對關係。一個二百人政府，可以對兩千百姓施行暴力。但是，一個兩百人政府，非常難以對兩萬百姓施行暴力。

如何處理眾多百姓的經濟問題，如何使眾多百姓從武力上的怕，多少轉移為經濟上的愛，是新型社會領袖需要深思的問題。所謂「政治是經濟的最集中表現」是有歷史意義的；經濟如何分配，是國家級政治人物的核心考量。這「如何」二字，是往後諸般政體之所以不同的地方。如何分配經濟呢？獨裁、寡頭、民主等等方式，都可以考慮。

　　一般而言，民主的發源地，是希臘雅典，時間約在西元前五百年左右。雅典民主，是直接民主；個人直接投票，行使權力。而非間接

民主－先選出代議士，後由代議士行使權力。雅典民主是一種公正的民主嗎？雅典民主最為人詬病的是：它並非人人有權，人人一票；具有投票權的雅典公民，並不佔全體人民多數－女人、奴隸等等，都被排除在權力之外。並且，雅典的商業個性，讓投票容易被操縱；容易被有錢商人操縱，而形成僭主。（民主與商人的關係，始終是民主制度的最大問題。在生物史觀的檢查下，主權在民是文，商業操縱是質）

　　雅典的民主，或許不像傳說中完美，然而它是一個代表性的起頭。

　　政府與人民的關係，開始迴盪於怕與愛之間－政府仍然掌握武力；

　　經濟利益，則由上而下地，漸漸讓比較多的人分享。

君權神授是個神話，天賦人權也是個神話。社會公平，從來不是民主的主軸。民主的價值，在於開始一種新的資源分配方式。

　　存在決定意識，而非意識決定存在。早期人類，所以與動物一樣，由家長領導，是因為家庭群居的客觀性。自從許多家庭融為更大社會以後，領導形式的改變，也是為了因應那個更大團體的需要。民主，不存在於動物群體；因為動物沒有人類那樣的大型社會。因此，人類（高級猴子）社會擴大，是一種挑戰動物世界的嘗試。民主制度的出現，也是一種挑戰動物世界的嘗試。群居動物的世界，始終以獨裁為唯一統治方式

　　民主相對於獨裁。除此之外，民主和很多制度都有相對性。前述的直接民主、間接民主，（代議士制度）是一種相對。民主與寡頭，又是一種相對。

　　直接民主的施行前提，必然是小國寡民。範圍大、人數多的地區，

　　直接民主有施行上的技術問題，而必須採用代議制度。現今社會中，可以如雅典一般，行使直接民主的地區，少之又少。

寡頭，就是集體領導。如果說，民主非獨裁；那麼，寡頭亦非獨裁。相對於獨裁的一人領導，寡頭是眾人領導。（只是人數可能很少，例如一個委員會）民主與寡頭，可以視為人數多的民主與人數少的民主。甚至，正統民主制下的代議制，也可以視為變相的寡頭制－在代議的層層選舉之下，最後的決策人數，也不會很多。因此，要替民主下一個清楚定義，很是困難。歐洲啟蒙運動（The Enlightenment）之後，要求民主的呼聲起此彼落。然而，民主倒底是什麼呢？要求民主，只是打倒獨裁的一種口號。當獨裁（國王）被打倒之後，一種放諸四海的民主制度，並沒有在國際間建立起來。這種情況，出於民主的各種相對性。特別是民主與寡頭的相對性。

　　相對，導致定義的不清楚。今日世界的兩大集團，各自以為其制度是合於民主的制度。原因就在於民主的相對性。

民主的正常運作－稀釋智力

　　民主的相對性，是個問題。一種定義模糊的概念，是不容易掌握，並且，可以有不同解釋的概念。然而，民主還有更高層次的大問題；就是民主與人類生物性格的矛盾問題。

　　人類是一種生物。生物的存在與發展，靠著自然的淘汰。那種淘汰很是無情。其核心原則，就是優勝劣敗，適者生存。大自然中，所有的物種，都是千萬年來，經過這種淘汰而存在；並且根據這種原

則，繼續往下發展。

　　人類的生存與發展，不能違背這個原則；同時，也要接受其無情的淘汰。這種原則的無情地方，就是完全沒有公平性。如果動物要講公平，基本上，物種之間的弱肉強食就沒有了；草食動物與肉食動物界線就沒有了。

　　草食與肉食問題，可以從更高層次的生態上理解。肉食動物存在，有很重要的平衡草食動物數量的目的。草食動物存在，未嘗不能視為具有平衡植物數量的目的。平衡是大自然的精神。離開生物界，即便宇宙星系的存在，也是依靠著重力等等因素，維持著平衡。公平與平衡，絕對不是一件事情。

說到同一物種，特別是群居動物的團體，那裡也是優勝劣敗、適者生存，毫無公平可言。公平，是一種完全屬於人類文化，而不屬於自然法則的概念。

　　前面說過，孟子的「民為貴，君為輕」不是一種民主思想。孟子只是提醒君主，要重視人民，因為他們數量眾多；重視人民，君主才能在寶座上安穩。重視人民的什麼事情呢？主要是經濟上公平性。但是，這種公平，僅只是統治者的手腕與技術；與道德、法律上的公平，完全無關。這種公平，不是整體的公平，而是階級的公平－下屬或者下層階級間的公平。這種情況在動物之間，是沒有的。一頭獅子吃飽了，把剩餘的斑馬留給屬下。屬下要自己爭奪，才能得到多一點的肉，少一點的肉，或者餓著肚子。這種情況，是群居動物的共同性。群居動物靠著這個辦法，讓強者得以維持強壯，統領整個族群。也讓整個族群保持強大，得以與其他族群爭勝。

人類領袖，為什麼顧及這種群體內假公平呢？那是因為群居人數太多關係。它很容易分裂成為小族群，很容易有叛變行為。並且，如果發生分裂與叛變，領袖一個人不能處理，（動物因為群居數量少，領袖可以獨自處理「異議」分子）因此，顧全大局，變成很重要的事情。人類特有的複雜政治行為，由此而出現。顧及下屬之間公平的概念，由此而出現。

人類社會，大規模群居，是完全違反自然的。諸多人類問題，都是因為社會人數過多而起。老子的「小國寡民」說法，是對人類群居（社會）問題，最早提出的警示。老子，是中國最早的哲學家，史學家，心理學家，生態學家…

孟子的「民為貴，君為輕」，與儒家的「天下為公」都只是一種形上觀念。這種顧及下屬、下層公平，而自己（君主）置身其外的觀念，成就了皇帝的獨裁局面。這種反對層層剝削，而把剝削縮小到一個人身上的想法，是策略上的公平。這種公平，創造了明君；讓獨裁者可以安穩的獨裁。這種與道德、法律無關的公平，可以說是一種謀略。對生物史觀的文質理論而言，那種公平，是一種文的極致表現。這種（經過包裝的）謀略性公平，已經為人淡忘了。雖然，它仍舊存在於今日少數的君權國家或民族。

試想一群野狼，在領袖飽餐之後，把剩餘食物分為幾塊，由大家公平分食。這就是人類「明君」的物化影像。這個影像，必須由一個畫面作為前提，那就是領袖早已吃完了，坐在旁邊打著飽嗝。

在道德上，甚至法律上講究民主，要從西方開始，要從啟蒙運動

開始。啟蒙運動有黑暗結束、光明開始的意思。啟蒙運動，以法國人伏爾泰（Voltaire）與盧梭（Rousseau）最為有影響力。前者提倡天賦人權，認為：人生來自由平等，法律之前人人平等。後者提倡主權在民－人民有當家作主的權力。這是現代民主的濫觴；它直接影響了法國大革命與美國獨立。

先說自由平等罷。伏爾泰是哲學家。哲學家的問題，在於偏向主觀而不顧事實。伏爾泰所謂的公平，是真的麼？還是他個人的想像而已？

哲學家與史學家，都是研究人的學者。哲學家先有一個想法的框框，（架構）再根據這個框框去套在事件上面。如果套不周延，也就忽視了。畢竟，那個框框才是哲學家的作品。從這個角度看，哲學家很像藝術家。只是處理的對象不同。（一個是思想，一個是圖像）史學家則相反，他要根據各種事件的（歸納、排比）情況，看看可以得出什麼理論。從這個角度看，史學家很像科學家；只是處理的對象不同。（一個是人的道理，一個是物的道理）

世界上，沒有任何事物是自由的。生物受制於體型、健康、智慧、壽命等等，而在群體與物種間，更有種種的不自由。（彼此相食，哪有什麼自由可言）非生物受制屬性、質量、重量等等，而在彼此關係上，也有種種不自由。（月球永遠圍著地球轉，地球永遠圍著太陽轉，哪有解脫的一日）人在萬物之中，何其渺小？為什麼生而自由？這種生而自由的托大，來自於上帝選民想法的延伸。

世界上，沒有任何事物是公平的。生物界如此，非生物界更是如此；人類絕非生而自由，也是如此。人生而自由是一種托大，人生而

平等就是一種妄想。自由是個體的問題，平等是群體的問題。任何群體中的個體，絕對不是平等的－無論先天的基因不平等，還是後天的社會不平等。人在萬物中，何其渺小？為什麼生而平等？這種生而平等的妄想，來自對上帝威權想法的延伸－我們對於上帝威權的恐懼，完全平等。

中國古代有個商鞅，因為主張如伏爾泰一般的講公平，主張「王子犯法與庶民同罪」。結果弄到為統治者車裂－五馬分屍。中國人給了他的故事一個成語「作法自斃」。那個成語沒有同情的意味，有嘲笑的意味。嘲笑他對人性、社會的無知與盲動。中國古代的政治智慧，相信「刑不上大夫」，相信社會沒有公平性。

伏爾泰真能擺脫上帝的陰影麼？我認為這個反對基督教的哲學家，心裡有揮之不去的基督教情懷。只是，他把上帝的絕對地位，由人類繼承，並且由人類的每一個個體繼承。人生而自由平等，絕非真實，而是一種狂妄。天賦人權這種自大想法，埋下了後日人類衝突的可怕理由－可怕的天賦理由，神所賦予的理由。

生而自由平等，這種荒謬的說法，至今不過兩百餘年。終於，由想像而至道德，由道德而至法律。最後，經由基督教文化的後繼者，強勢推廣。從無到有，弄假成真；成為世界上大部分人的基礎知識。如果不接受這種想像，則被視為沒有教養的，沒有文化的。

自由平等，是主權在民的基石。既然每個人都是自由平等的，當然可以共享社會上的一切；包括共享政治權力。權力的共享，就是民主，就是主權在民。這是盧梭的哲學主張。邏輯的三段論告訴我們，

如果人生而自由平等是想像的，基於這種想像而發展出來的主張，也是想像的－它既不公平，也不能提供最好的政治選擇。同時，還違背了基本的生物學法則。

生物界的不公平是顯然的。異種與同種間的不公平，極其自然。狼吃掉羊，固然羊不能計較公平於否。狼吃掉羊，吃多吃少，狼彼此間也不能計較。（當然，羊把草吃掉了，更沒有人計較草的自由、公平與權力）生物的鬥爭，基於體力與智力。個體的差異是必然的，這種必然差異，是生物演化的基礎。如果沒有差異，就沒有演化；生命從一開始，就停滯在固定形式上了。明白差異是進步的源頭，就可以深談民主行為與生物學之間的關係了。

生物個體間的差異，影響覓食與求偶權力。條件好的，有較多的權力，條件不好的，有較少的權力，或者沒有權力－被吃、沒得吃、不能繁衍後代。這種權力的多寡，就是自然淘汰的基礎。被吃、沒得吃、不能繁衍後代的，就從歷史舞台上消失。同種內的消失與異種間的消失，都是進化的現象－唯有最優秀的個體與物種，能夠更好的生存下去。這就是生物法則。人很渺小，人不過是一種生物。

民主是什麼行為呢？在民主成為基本知識（基本教條）後，不再有人思索這個問題。民主是動物群體中，強者遷就弱者的行為。在動物世界中的任何方面，都沒有這種遷就。民主是一種意識形態，它絕對不僅僅表現在政府的議會形式上；它表現在任何大小群體的表決與共識上。通過表決的共識，就是民主共識。一個群體有五個人，每個人有平等的五分之一表決權。一個群體有五千萬人，每個人有五千萬

分之一的表決權，依此類推。這裡面，沒有人顧及該表決權的代表者，是不是智能低下者，是不是年老癡呆者，是不是未受教育者，是不是精神異常者，是不是憤世嫉俗者…為什麼民主制度僅僅認定年齡差異，（基本上，18歲才有投票權）而否定人與人之間生物性差異呢？

　　社會是一個金字塔，在每人都有表決權的定義下，所謂民主，就是金字塔上的少數人，遷就金字塔上的多數人。（多數人與少數人智能問題，是生物性優劣問題，是一個科學問題，不是一個哲學問題，更不是一個道德問題）遷就什麼呢？遷就人格上的綜合表現－見識。所謂綜合遷就，就是見識遷就。見識是一種判斷，一種智力。如果說民主行為，就是人類智力遷就的奇特行為，大概很容易明白，很容易讓人心驚。

　　民主是通過表決的團體共識－團體將要如何走下一步的共識。這種共識（共同意志）應該符合團體的最高利益，才是群體法則，才是生物法則；這個群體才會進步或者進化。如果，團體的決定（共識）因為智力遷就而形成－由稀釋過的智力形成決定。那麼這個決定，一定不符團體最大利益，一定不是最好決定。一個社會中，充斥著大大小小的稀釋智力；一個社會，由大大小小的稀釋智力決定發展方向；這必定是一個無智而且無能的社會。它融不進生物的演化世界裡。它正在進行一種生物的反淘汰；也即是說，它必然越來越差，越來越衰弱。

民主的非常運作－少數操縱

操縱就是控制，不過控制有點強勢；操縱有點隱隱約約，有點躲在背後，有點讓人想到小木偶背後的那隻手。動物活在控制與被控制的世界裡；強凌弱，眾暴寡，是那個世界裡的規則。人類早期也是如此，受到力氣最大的雄性控制。（他也是生活上的供給者與保護者）控制範圍從兩個人，到一個家庭，到一個村莊。但是，隨著畜牧與農耕普及，野獸的迫害減少，食物的獲得簡單；暴力控制的局面，發生變化。人們不再需要暴力型領袖，智力型的領袖於是出現。這種領袖不需要暴力，而需要專業（農牧）知識。然而，知識是一把兩刃的劍，知識提供服務也帶來控制。暴力與知識的差別，只是形式。它們都涉及生物性的優劣問題，有暴力與有知識，都代表生物學上的優秀（有力與詭詐）。暴力控制，是赤裸裸的控制。知識控制比較柔和，比較接近操縱。

生物學上的優秀，是任何動物群體的權力基礎。這裡沒有擬人化的道德問題；強者管理弱者，天經地義；目的是得到最大利益，面對嚴峻的生存與演化。這個道理行之於人類社會，完全一樣。古早的暴力統治，為道德家所摒棄。晚出的知識統治，即便道德家也未必看的明白；並且，道德家很容易被融入統治集團，而不自知。

道德家不孤單，道德家有靠山。所有的政治家都需要道德家協助，讓其人民有道德，而便於管理－不必事事都要動之法律。民主的立意，就是讓人民得以行使意志。然而，民主常常不能讓多數人行使意志－其意志為少數人控制。這少數人，就是有力者與詭詐

者。以及，兩者的混合體。動物群體中，有力而詭詐的個體，能夠成為統治者。人類社會中，詭詐者，即是有知識者；有力者，即是有財富者。

　　有知識者可以是先天聰穎者，也可以是後天受教者。這裡並不作知識分子 intellectual 解。有知識者，包括知識分子，不等於知識分子。

　　所謂有財富者，特別是指商人。商人不是製造者（包括有形無形、物質精神製造）而是交換的中介者。他們把製造者的成果，通過各種手段（基本上是囤積與炒作）高價售出，獲得利益。商人因為主導交換（作為中人）而成為新式的施暴者；一端以低價控制製造，一端以高價控制市場。暴利（與暴力）便在這兩端的控制中出現。

　　經濟不是暴力本身，而是暴力結果。暴力與經濟，其目的都是擁有更多食物與資源。暴力是因，經濟是果。施暴者與商人，名稱不一樣，目的一樣。

這種有力，顯然不同於動物的有力。這是人類獨特的有力方式－混雜著詭詐的有力。它是高級猴子擁有食物（資源）的奇妙方式。有知識者與有財富者，是民主制度的基石。沒有這兩種人，民主不得施行。

　　民主是大多數人參與的政治活動。多數人如何被少數人（有力而詭詐的）控制著呢？它不涉及赤裸裸的暴力，而與一種說服形式（心甘情願）的控制有關。這種說服形式是民主政治的最大特色，叫作政見發表。政見發表的目的，是得到大多數人的支持－匯集眾人的認同，（投票）換取自己的權力。（當選）政見發表的方式，是在各方面，替未來畫出一張藍圖，（畫出一個大餅）眾人對這張藍圖感興

趣，叫作對這個政見共鳴－也即是對政見提出者的共鳴。這種共鳴，與藝術上的共鳴，並無二致。這種畫藍圖的工作，非有知識者不得完成。

政治共鳴與藝術共鳴，如出一轍。但是，藝術共鳴是「無所為而為」的共鳴。它的結果，是精神上的愉悅－頂多花了些錢購買這種愉悅。但是，政治共鳴就是一種被控制：它讓大多數人，把自己的一切，交付在少數人手裡。

政治與藝術共鳴極為類似。如果還要細分，政治共鳴最接近戲劇共鳴。音樂與美術的共鳴，是一種感官共鳴。（音樂訴諸聽覺，美術訴諸視覺）感官共鳴是生理（部分心理）的共鳴，它的基礎是人類的感覺與感覺器官。戲劇共鳴接近文學共鳴，它是思惟上的共鳴，需要一些連續場景；並對這些場景，做出思惟上的聯想。它所訴諸的，是大腦的思惟部分。音樂美術的共鳴淺，戲劇的共鳴深－它會由共鳴而產生共識，最後，形成意識的一部份。也即是說，戲劇的共鳴，會對人產生實質影響－影響人的判斷。戲劇共鳴，是一種說服性格的共鳴，政治共鳴也是這樣。東西方都認為：政治人物與戲子同質，其原因就在這裡。但是，政治共鳴較藝術（戲劇）共鳴更為困難，它說服人的機巧更為複雜。

民主聖地希臘，也是戲劇的重要發源地。劇場形式的戲劇，與民主政見的發表，關係密切。如果說二者同源，也許誇張了些。但是政治人物從劇場演員學到的表演技術，毋庸置疑。這也導致了東西方政治人物的不同。西方，喜歡高談闊論，旁若無人；東方，重視神祕姿態，猶若隱形。

　　說服人的機巧，中國以為有三種：「動之以情，說之以理，誘之以利」。這三種說服人的方法，相當完整而全面。孔子說過「君子之德風，小人之德草，草上之風，必偃」。多數人的意志，是可以操縱的，其操縱有如風吹草偃。草如何偃，端看風如何吹。（故又有「民意如流水」的說法，溝渠如何疏導，水便往哪個方向流動。水本身，是沒有自己意志的）能夠操縱、說服於否，是一種智力高下問題；是一種有沒有知識的問題。「動之以情，說之以理，誘之以利」行之於民主運動，就是：情緒操縱，智力操縱，利益操縱。

　　人類社會一如動物，優少劣多。少數人說服多數人的第一種策略，就是以感情打動之。人類的理智與感情，是極為特別的腦中分工。其發展，和教育的高低基本成正比。（教育即是智力的鍛鍊與啟迪）社會上，少受教育的人，遠超過多受教育的人。（能否受教育，與經濟能力有關係）少受教育的人，少理智，行為必然多偏於情緒。
　　情緒，是人類與其他動物的極大差別。情緒即是不理智。它是人類基因裡的瑕疵；是與高級智力相違背的吊詭特質。或者，它是高級智力（主要是記憶）的一種嚴重副作用。（side effect）

　　少理智多情緒的人，在民主活動中，佔的比例很高。這些人是容易動感情的人，容易感情行事的人；容易因為激情而投下神聖一票的人。這些人在詭詐者的亢奮與淚水中，把自己寶貴意志，全心全意地交了出去。（基本上，是一種戲劇化的受欺騙）激情，就是民主政治的感情操縱；激情，在演員與觀眾之間，起了共鳴作用。

　　民主社會的金字塔頂端，是有知識者與有財富者。他們憑著知識財富，戲弄大眾於股掌之間。然而，社會上並不都是愚民，所謂愚民政策，並不是每每管用。（老子說，「聖人不仁，以百姓為芻狗」，然而，並不是每個人都是豬狗）對於相對不愚的人民，相對理智重於情緒的人民，就要以講理方式來說服他們。因此，自希臘開始，辯論與民主始終是好兄弟。

　　俗語說，真理越辯越明。這句話，為民主儀式中的辯論場景，作了有力支撐。真理越辯越明麼？當然不是。辯論是有技巧的，是有輸贏的；為辯論而辯論，為輸贏而辯論，才是辯論的真正作用。辯論不是為求真理，辯論是一把可怕利刃，它要插入對手心臟，使其停止辯論。在這種輸贏之中，在這種語言鬥爭中，相對理智重於感情的人們，激動了，被說服了。因為他們也看了一場戲，一場溫文儒雅卻你死我活的戲。情緒可以共鳴，理智也可以共鳴。

　　情緒可以共鳴，人盡皆知。理智的共鳴，則少人聞問，或者視為不可思議。理智共鳴有兩種，一種是理性結果共鳴。例如科學家彼此之間競爭，提出不同說法。但是，當其中一種說法獲得試驗證實，則其餘科學家便接受了。這種共鳴是真正的共鳴，它跟理智的結果（真理）有關。另一種是理性過程的共鳴。例如政治家的辯論。所有的政治辯論，都有預設立場，然而辯論過程，皆維持理性。這種理性的過程是一種手段，其中蘊藏太多不理性、不邏輯部分；經過辯論者巧妙掩飾，而不為人知。政治辯論不會得出理智結果，不會得出真理。然而其過程，有如一場玄疑推理戲劇。喜歡這類戲劇的人不少，他們在賞戲過程中，因為思考，而獲得滿足。

受到理性（邏輯）共鳴者，不知道墮入術中－墮入一種理性的催眠術

中。他們與重情緒者比較，沒有差別。他們只是品味不同，需要另一種方式，讓自己成為觀眾，讓自己被說服。

　　被說服是重要的。被說服表示自己在群體中有了夥伴。被說服是加入群體的敲門磚。如果人需要參加團體，需要歸屬感；那麼被說服情結，將永久存在。另一個角度看，被說服即是承認自己是弱者。唯有強者可以說服弱者。（包括最原始的，以暴力說服）承認自己是弱者，等於接受強者保護。大多數的人（一如被豢養動物）都喜歡接受保護。

辯論，就是民主政治的理智操縱；辯論，在演員與觀眾之間，起了共鳴作用。

　　民主操縱有基本兩個類型：激情操縱與辯論操縱。其前提，是人民熱中政治，有強烈意志。然而，還有部分人民，對政治不熱中，也沒有強烈意志。他們既不容易激動，也不重視思考；他們根本不關心政治。對於這種不能共鳴的人們，還有第三種操縱方法。這第三種方法，在民主不成熟的地區，最為流行。在民主成熟的地區，則視為非法。那就是金錢收買。

　　食物（經濟）是生物生存的第一要件，是生物生存的物質基礎。生物如果可以不用勞力心力，獲得白吃的午餐，大概不會拒絕。這種本能上的不拒絕，是動物可以被馴養的唯一原因。動物（例如牛羊）被馴服，而被當作人類食物，是因為有白吃的午餐。動物（例如貓犬）被馴服，而被當作人類寵物，也是因為有白吃的午餐。動物的馴服，就是一種收買行為。只是動物智力不夠，不知道這種免費午餐的代價，是自己的生命與自由。既然動物可以用食物收買，人當然可以

用金錢收買。

　　不強調個人意志者，相對少判斷、少道德－他們的道德，多半類似一種報應觀。（道德是精緻化了的知識，裡面有因果、邏輯等等細微思惟，並非所有人可以理解）報應觀出於相對的施與受，而不出於判斷。對於不強調個人意志者言，點頭或搖頭，便可以獲致金錢，何樂不為呢？（他們絕不會想到，人之收賄與動物之馴服，異曲同工）少判斷而有報應觀的人，最容易收買。因為該種收買，被視作一種交換，一種報答。「拿人錢財，與人消災」，是受賄者對施賄者的報答。（報應）被收買的選民，是穩定的選民。這裡面沒有理念上的共鳴，只是簡單的暗盤，簡單的民主操作手法。至於說，收買一定是給予金錢麼？金錢可以有很多代替品；優雅的說法，叫作利益輸送。那就是高級暗盤，高級的民主操作手法了。

　　民主是基於自由平等，而人人有權（人人一票）的政治制度。問題是人民基於自由，可不可以不參與民主活動呢？投票，是權力還是義務呢？如果是權力，則人民可以選擇放棄行使權力。如果是義務，那麼不投票就是犯法了。事實上，民主是權力，而不是義務。如果民主是義務，（強制投票）就不合於民主精神，就不合於自由精神。但是，一些可控制的小規模封閉性投票，顯然是義務性的；並且夾雜恐嚇與威脅。義務性投票，是一種假民主，是一種披著民主外衣的極權統治。

民主的荒謬－理論困境與實務困境

　　民主有兩種說法。一是理論的民主：這種民主是少數屈就多數

的、稀釋智力的、劣幣逐良幣的，違反優勝劣敗生物法則的詭異行為。它將導致人類物種的衰落與毀滅。二是實務的民主。這種民主必然是少數以智力（激情與辯論）控制多數的、少數以財力（賄賂與交換）控制多數的，完全違反民主本意的詭異行為。民主，是打著自由平等旗幟的，從希臘劇場起始的，人性大戲。

總述三　回首看科學

科學的源頭－覓食

生命的意義，是維持生存與繁衍後代。這是生命的最高指導原則；對動物而言，即是落實在覓食、求偶兩件事情上面。沒有前者，生命在短時間內消失；沒有後者，生命在較長時間內消失。對於人類而言，因為覓食而發展出科學，因為求偶，而發展出藝術。

西方大學中，有科學史與藝術史兩種學問。它們多沒有大學部，而直接設立研究所。（顯然，它們是一種科際整合的學問，需要其他專業知識作為背景）歷史是古老而重要的學科；只有這兩種學問獨立於歷史之外，另設學科，有它的深意。（大學中少有經濟史、政治史、法律史、軍事史之獨立研究所）

自從人類，以木棍敲下樹上水果，便是科學的開始。為了獲取食物，他們運用物理原理，得到食物。木棍，是覓食工具，也是人類與科學發生關聯的開始。木棍一定是最早的工具，因為一些猿猴，也會使用木棍敲打果實。不過，木棍對人類而言，是攜帶（portable）性工具。一群攜帶木棍的穴居人類，是要強過猿猴的。攜帶這件事，不

可小覷。它是人類真正利用工具、依靠科學的起源。動物或者偶爾使用工具，動物絕少攜帶工具。

　　我們從未看過一群經常攜帶木棍的猿猴。如果看見一群經常攜帶木棍，出入森林的猿猴，那是很可怕的景象；那是人類需要時時盯住的新起物種。

　　動物有草食性與肉食性。人類有了木棍，卻仍然沒有脫離被獵食者地位。因為，人類沒有肉食者的爪子與利齒。（所有的草食者，都沒有爪子與利齒）舊石器時代（Paleolithic period）開始使用石器，是一大進步，它使人類勉強有了類似爪牙的武器。石器不是石塊，而是經過敲擊的有效石塊。（猿猴也有利用石塊敲擊果實的情況。猿猴只偶而利用石塊，而不會製作石器）石器有砍砸器與削刮器－石斧與石刀。（又叫作石核石器、石片石器）石斧有重量，石刀有鋒利邊緣，它們可以產生類似爪牙的契入與撕裂效果。契入與撕裂，都是物理作用。木棍也許是撿拾來的，但是製作石斧，是改變自然物之既有形狀，而使之具有合乎需要之功用。這是人類與獸類的分野，是智力的強大表現。石斧石刀，非但使用上利用物理（physics）原理，（揮砍、切割）製作上也利用物理原理。（相互敲擊）

　　以中國為例，人類開始製作工具，是一百七十萬年以前的元謀人。

　　元謀人又可以稱為元謀文化。文化在這裡，是對高等生物的禮敬。

　　除了人類以外，不用文化二字形容其他生物。

然而，石斧石刀也許可以攻擊草食動物，但是要抵抗肉食動物，則不大管用－並且極其危險。因為人類動作相對緩慢，並且沒有動物般的皮毛；完全不能抵抗爪牙的攻擊。對抗肉食性動物，要說到人類的用火。

人類身體如此衰弱，是非常特殊的演化問題。這樣衰弱的物種，如何在穩坐萬物之靈寶座之前，得以倖免滅種，給了神學家很大想像空間。也給了深思的生物學家，很大想像空間。（人類沒有陸生動物皮毛，其皮膚，反而與水生動物一般光滑細緻）也許，我們是經過外力改造的物種，也未可知。（此說方興未艾）

人類用火的證據，開始於舊石器時代。用火這件事，完全違反動物性格－所有動物，都是怕火的。為什麼人類不怕？為什麼人類敢將之作為武器，驅趕野獸？從木棍到石器，從石器到用火，人類經歷了百多萬年。火的使用具有指標性；火是人類控制的第一種化學（chemistry）變化。通過這種變化，他們將漫漫長夜，照映出新天地；在大自然食物鍊上，建立了新地位。不過，用火對於人類而言，是驅趕肉食動物，而不是攻擊肉食動物。說到攻擊肉食動物，要到石球與石矛的出現。

舊石器時代人類有用火痕跡，但是不確定他們是否生火。如果不能生火－燧石取火或鑽木取火，則必須慎重地保留火種。火種極為珍貴，是由於雷電、乾燥產生的森林大火、草原大火而來。生火，才是對於用火的完整掌握。

應用了物理（木棍與石器）與化學（火）知識，石球與石矛的出現，也是人類科學知識往前邁大步的關鍵。石球是仔細敲打的石塊，圓形，如棒球大小。石球不是遊戲用具，而是可怕的攻擊性武器；一種動物完全不能比擬、摹仿的投擲武器。

今日，肌力投擲已非人類武器選項，也早已經把這種可怕的能力，遺忘殆盡。端看棒球選手，將球投到十八公尺外的捕手手套中，即

可明白人類的投擲能力。如果把棒球改為石球，便是人類在自然鬥爭中，曾經擁有的可怕武器。其殺傷力，足以擊碎動物腦殼。

有學者將人類稱為裸猿，沒有皮毛的猿猴。事實上，沒有皮毛，只是防禦上的特徵；說到攻擊特徵，則是可以準確的扔東西。完整的講，人類是沒有皮毛的猿猴，是會扔東西的猿猴。人類那麼適合扔東西，由於兩件事：一，兩隻眼睛位於同一平面，視覺上，可以作簡單的三角測量。世界在人類的眼睛裡，是立體的，是有距離的。二，人類的肩膀，是一種球狀關節，可以三百六十五度旋轉，最適合擲物。這兩種天賦，給了人類扔東西的先決條件。

人類是雜食性動物，僅僅植物，不能滿足需要。獵食動物，靠木棍難以達到目的。因為人類與動物相較，動作極為遲緩。自從石球出現，動作遲緩的缺點被彌補了。石球可以遠距離攻擊其他動物，肉食動物的爪牙再利害，也需要接觸才能傷害。這種遠距離攻擊與接觸攻擊的差別，讓人類成為地球上最具科學性格的生物。（石球的重心在中央，飛行穩定，而可以準確打擊目標。飛行不但是物理學問題，還是空氣動力學 aerodynamics 問題）

人類有了遠距離攻擊能力後，對於扔東西大有興趣。石矛的出現，便是把石器加上了木棍；（可以手執或投擲）而在較遠距離產生穿刺性傷害；較之石球的擊打性傷害，更進一步。石矛的出現，是對於材料性質的開始掌握－石矛是人類最早將數種材料（石、木等）做成的複合式工具。（compound tool）

　　複合式工具，是人類對科學的偉大應用，是人與猿之間的巨大鴻溝。自此之後，人類的扔東西技術，一日千里；並且把重點放在如何扔，如何省事省力的投擲－人類與機械之間，就發生關係了；弓箭便如是焉的出現了。弓箭非但是複合式工具，並且是藉由機械性彈力作為動力的工具。這是肌肉力轉換為機械力的起始，任何以肌肉相搏的野獸，從此不是對手。

　　以中國為例：弓箭的出現，以舊石器時代晚期山西朔縣峙峪遺址為早。

　　科學的出現與發展，的確與人類早期覓食有關。基本上，是為了與獸類鬥爭；是為了輔助人類的體質弱勢。這種動機與作用，種下了科學與武器之間的種子。科學與武器的關聯性，是人類過往與未來的最嚴重問題。

科學與生物－演化的操縱

　　進入了新石器時代，（Neolithic period）人類仍然保有採集活動，卻悄悄開始了畜牧、農耕；並建立了人類特有的社會。畜牧與農耕，是人類穩定獲取食物的辦法。採集與漁獵，是舊石器時代人類基本謀生方式。彼時，人類與動物無異，餓肚子是很普遍的事情。畜牧與農耕，改變了這種情況。

　　直至現在，畜牧、農耕仍然是人類獲取食物的基本方式。只是科技進步，對於如何進行之，有了新辦法，導致從事畜牧、農耕的人口銳減－但是產量大增。此外，對於畜牧的定義，也由陸地擴及水中，稱為養殖。

畜牧是由漁獵而來。因為工具的興起，動物的捕獲，較之以往簡單方便。（少危險）簡單方便，會產生過量問題；會產生浪費問題。不浪費肉食的最好辦法，就是將捕獲的動物豢養起來，等需要時再行宰殺。這種暫時的豢養，尚不能稱為畜牧。但是，豢養過程中，有幼獸出生；把幼獸養大、與幼獸一同飲用母獸之乳，便是畜牧的濫觴了。畜牧過程中，為求牲口健康與順利生產，需要專業知識。有系統的動物學（zoology）及醫學（medicine）知識，便逐漸建立起來。

農業是由採集而來。發現植物一如動物，有生長繁殖週期，是一件大事；是長時間觀察自然的結果。把採集對象（例如：一棵果子樹）移植到自己家附近，或者是為了圖方便。但是，一旦果子成熟，把種子埋下去，產生第二棵果子樹，就是有意識的農業行為了。農業的成效緩慢，其間對於土壤、陽光、水份等等事物的了解，極其重要。該了解的累積，逐漸形成有系統的植物學（botany）與生態學（ecology）知識。

農業的發展，是有階段性的。早期農業，是以石器直接施之於土壤的行為。逐漸的，人類開始將石器與木器結合，製作出有柄農具。有柄農具可以讓農夫節省體力，長時間工作，帶來的收穫量更大。因為過量（自己吃不完）而產生的交換，使得經濟開始活絡。（畜牧業也一樣導致經濟活絡）經濟問題開始由個人經濟，轉向集體經濟。農具的有柄於否，是判定早期農業是否進步的標準。有柄農具的農業，稱之為高級農業。

經過長時間，農具的木柄早已腐壞。考古學家看石器的樣式，便知

道農具是否有柄。凡是出現有肩石斧、有段石斧的地區，即是行高級農業的地區。石斧有肩（若肩膀形狀）有段（若台階形狀）其目的是與木柄結合，用以綑繩。

農業是很緩慢的覓食活動。希望產量增大，是合理的想法。然而植物結實，多半是一年一次，要想收成好，便須要明白自然與植物間的關係。對於時令、節氣的了解，成為必須知識。時令、節氣的了解，產生了通則性的曆法。曆法依據太陽、月亮的運行規律而訂定。積極觀察天象，是施行農業後的副產品；天文學（astronomy）由此奠基。

新石器時代，是人類歷史上最重要、最奇異的時代。人類基本脫離自然食物鏈，建造了自己的食物鏈。在那個食物鏈中，人類可以自給自足。認為人在自然食物鍊的頂端，是小看了人類的本領。人之所以為萬物之靈，從經濟供給上來說，是建造自己的封閉食物鏈。（不與其他野生動物共享）

封閉的食物鏈，是人類一大發明。在這個食物鏈中，人類開始了基因工程（Genetic engineering）試驗。畜牧與農耕的真正意義，絕非僅僅提供了無虞匱乏的食物而已；畜牧與農耕是人類（高級靈長類）控制動、植物演化方向的行為。自然界的演化，是自然而緩慢的。這種演化裡，有隔離與異化等等偶然條件；並非物種經過長時間，必然會產生演化。（多半情況，是物種遭到淘汰）今日，人類周圍的動、植物，都是經過人類汰選、調配後的結果；基本上，因為好吃、好看、好玩等等原因，使用強制性配種的結果。依據孟德爾定律，基因

中的顯性（強勢）與隱性（弱勢）因子在結合後，會產生 3：1 的後代特徵。人類運用這種基因原理，「作出」更好吃、更好看、更好玩的動、植物。品種改良（Variety improvement）是基因工程的啟始。

所謂強制性配種，是有歷史的。最早的動、植物產生（令人滿意）配種結果，應該是偶然的。兩種接近但不同種的動物，豢養在一起，非常偶然的發生了交配現象。例如：好吃的小種豬與難吃的大種豬，置於一處，自然產下了：好吃大豬、難吃大豬、好吃小豬、難吃小豬。好吃大豬被人類留下，繼續繁殖。其他三種，就被人為的（而非自然的）淘汰。兩種接近但不同種的植物，種植在一起，非常偶然的產生了傳粉現象，例如：好吃的小種蘋果與難吃大種蘋果傳粉，自然產生了：好吃大蘋果、難吃大蘋果、好吃小蘋果、難吃小蘋果。好吃大蘋果被人類留下，繼續培養。其他三種，就被人為的（而非自然的）淘汰。

但是，人類一旦發現這個現象，就刻意的繁殖與培養了。（在動物上，不會相互交配的物種，採取人工授精法；在植物上，不會相互傳粉的物種，採取接枝法，都是極不自然的，置入性以及破壞性方法）其結果，就是在身邊豢養、種植著非自然，但是合於人類要求的物種。這是人為的演化，不是自然的演化。達爾文在《物種起源》裡講的自然演化，在最近一萬年來，並沒有明顯的發生在我們眼前。（時間太短是主要原因）這一萬年來，是人類代替自然，引導物種演化。人類代替了上帝的位置；這一萬年，是人造萬物，而非神造萬物。人類早與自然食物鏈脫節，人類有自己食物鏈，並且在其中千變萬化。這是畜牧與農耕的真相－人類涉入了自然演化，改變了自然演

化。

1996 年，英國複製了一頭羊，取名桃麗 Dolly，引起輿論大嘩。認為人類複製哺乳類動物，與瑪麗雪萊的《科學怪人》 *Frankenstein* 一般恐怖。事實上，人類利用基因工程學理，改變物種基因，製造新物種；自新石器時代開始，已經一萬年。

這是因為好吃（食物問題）而改變物種－是因為物質需要而改變物種。至於因為好看、好玩等等精神需要，而改變物種，更是比比皆是。例如各種犬類、金魚、花草等等，不一而足。

其中犬類尤值一說。犬類是人類好朋友，是放牧、看守與打獵的重要幫手。然而在文藝復興後，商業化都市興起，居住擁擠的情況日趨嚴重。為了配合狹小空間，許多小型現代犬種，漸漸出現。這些犬種為求好看、好玩（稱之為 pet）已經改造至違反犬類生存需求。腿短而彎曲，不善奔跑；鼻部扁平，不利聞嗅；皮膚皺摺，不利清潔。有的犬種，因為骨盆與脊椎嚴重變形，竟然不能生產；需要人工剖腹接生。人類的玩弄造化，不知何日終了。每見名為貴婦者，懷抱一怪異犬種，而大談對於寵物的愛心問題，真是諷刺之極。

自舊石器時代開始，人類因為科學而改變生活，獲得福祉。進入新石器時代，因為農業與牧業的知識（動物學、醫學、植物學、生態學、天文學等）讓人類成了神或者演化的代言人，也讓地球成了人為的動植物實驗室。在這個實驗室中，非但要求動植物更好吃、更好看、更好玩；同時也要求其數量越來越多。以畜牧而言，大規模養殖動物，就是大規模撲殺動物。因為畜牧業的開始，人類越來越肉食

化。牛羊豬等經過馴化與人為演化的動物,已經註定成為人類食物。這種人為的食物鏈形成,是因為人類的知識造成。這是科學對於動物的終極傷害。科學是工具,掌握工具者,奴役與殺害沒有工具者。

農業與畜牧業的交集,(兩種知識的結合)最明顯的事情就是獸耕。獸耕之獸,必是馴養之獸,而非野生之獸。獸耕是自有柄農具出現後的一大進展。其效果,除了省時省力外,便是產量的巨大躍升。人力與獸力(牛馬驢騾為主)的相較,是十倍百倍的相較。獸耕與經濟的關係,顯而易見。自從野獸成為人類食物後,又成了糧食的製造者。人類利用自然的狡慧,皆出於科學的邏輯思惟。(除了獸耕以外,利用獸力的另外項目,便是以狗、鷹等狩獵)

科學與人類－武器的角色

科學,有兩個層次。一,科學就是邏輯;通過邏輯思考,得到理性答案。二,應用這個理性答案(包括理論與實務)改變客觀存在。這種改變,有正面的與負面的,有建設性的與破壞性的。

對於科學家而言,科學都是正面的。因為科學家是一種職業。(尤其是在今日)沒有科學家可以離開學術團隊(大學與研究機構)而獨立作業、獨立創造發明。科學這個行業,提供(掌握)了科學家的名、利來源。所以很多科學的發明,顯然對於人類不利,但是科學家永遠奮不顧身的投入其研究－該研究結果,並不需要他們負責。事實上,沒有人負責。

對於小部分的哲學家而言,他們反對科學,而嚮往較原始的社會。

他們因為反科學，而被扣上反社會的帽子；並且在思想界，也沒有多大的回響。人類究竟因科學而進步，還是因科學以致消亡，於長久的歷史之流中，很是難講。如果物種必然毀滅，宇宙必然毀滅；人類的科學活動－改變客觀的活動，不過是一個小小的掙扎。當然，掙扎也許是必要的。

從歷史上看來，科學的好處，是文明的建立（今日，已經要將人類文明從地球移殖到其他星球）。史學上有文明與文化的說法：基本上，文明與科學有關，是人類的物質生活；它有進步的問題，它與各種能力、控制慾有關。文化則未見與科學有直接關係。它是人類在文明的基礎上，不同階段、不同地域的生活方式；它沒有進步的問題，它與各種習慣、幸福感有關。因此，與科學有關的文明，層次高，影響大；與科學無關的文化，層次低，影響小。（階段影響或區域影響）話雖如此，哪個對人類更重要，卻不一定。那要看個人認知，以為控制重要，還是幸福重要。

科學絕對是一個潘朵拉的盒子（Pandora's box）。這個盒子一被打開，令人歎為觀止，不得收手。希臘神話原意，潘朵拉盒子是指一個裝食物的壺。科學亦是如此；它在早期，純然是幫助覓食，幫助人類脫困於衰弱裸猿形像，與其他生物作一番搏鬥。但是當食物問題滿足以後，各種征服其它人類，征服客觀自然的事情，接踵而來。征服是一種奇怪的行為，動物除了地盤的維護，伴侶的維護外，（也就是基本覓食、求偶本能）沒有征服舉動。征服，是一種精神的慾望。如果說科學是潘朵拉的盒子，慾望就是那把打開它的鑰匙。

　　人類的征服慾望，表現在征服動物、征服人類、征服自然三個面向。動物的征服，在新石器時代，大致解決。

　　人類征服大型動物後，大約與昆蟲與微生物的鬥爭，尚未停息；近代人類和細菌（bacteria）以及濾過性病毒（virus）的鬥爭，尤其是鬥爭大方向。該鬥爭是關乎人類健康、壽命甚至存在的問題。科學對人類的危害，表現在征服慾望上。特別是，表現在各種武器上面。

　　人類的武器，構思於動物爪牙，但是不同於動物爪牙。早期。它們是有重量的爪牙、（石斧石刀）長在棍子上的爪牙（石矛），石球與弓箭出現後，人類有了會飛行的爪牙。一如動物，人類除了攻擊異種動物，也會攻擊同種動物。弓箭出現前，人類的相互攻擊，就是一場短距離甚至零距離的互毆場面。但是，弓箭是掌握長距離的準確武器。它不會造成對方頭破血流，它會直接殺死對方。

　　弓箭的出現，是人類真正戰爭行為的開始，也是大規模殺死對手行為的開始。這種武器非使用肌肉力，而靠物理彈力發射箭頭。這是動物界絕對沒有的非演化性武器。換句話說，它的威力超過演化需要。它不是驅趕、屈服對手的武器，而是殺死對手的武器。動物殺死異種以為食物，但是動物沒有大量殺死同類的必要－無論求偶還是覓食。（殺死同類，是使該物種數量減少的動作，是完全沒有道理、不合演化要求的動作）

　　人類這樣大規模的殺死同類，是不是跟人類繁殖情況有關？靈長類每個月排卵，每個月都可以受孕。其他動物只有一年的特定時間發情，才得受孕。靈長類原來是動物界的弱勢（缺乏有效爪牙）必須

藉由增加受孕機會而延續物種。人類居於食物鏈頂端（甚至有自己的食物鍊）後，仍保有每月受孕的能力，實無必要。莫非，大自然求其平衡，而令人類自相殘殺，是有更高層次的演化機制麼？

人類的貪婪，或者來自於交換行為；人類的殘忍，絕對來自於戰爭。也即是說，人類以往未必比動物殘忍。人類未必殘忍，戰爭令人類殘忍。

歷史上，時代二字的嚴格意義，是指人類生產工具的材料而言。使用什麼材料製作工具，便稱為什麼時代。考古學家將時代區分為三：石器時代、銅器時代、鐵器時代。時至今日，人類仍然處於鐵器時代。銅器時代的時間很短，銅器、鐵器時代可以合稱金屬時代。金屬時代，是繼人類控制動植物後，有效的控制礦物之始。（石器是改變礦物形狀，金屬器是改變礦物的態－固態而液態、液態而固態；再加工改變其形狀）

銅器時代雖短，卻不可忽視。銅器由紅銅開始（純銅）而繼之以青銅（銅錫）黃銅（銅鋅）白銅（銅鎳）等。銅器時代是人類冶金技術的開始，也是合金技術的開始。《周禮＼考工記》中記載六種青銅合金的成份比例，稱為「六齊」。那是世界最早的冶銅文獻。

金屬的出現，石匠與陶匠功不可沒。金屬礦石，是石匠採集石器用料時所發現。金屬冶煉，是製陶技術高度發展下的結果：冶金用的坩堝，與模鑄用的模範，都是耐熱千度以上的陶器。（故有陶鑄一辭）

在基本生產上，金屬農具鋒利耐用，遠遠勝過木石製品。它的出

現（特別是鋤與犁）讓農業更向前邁進一大步。但是，人類並不只是利用金屬製作鋤與犁，人類還利用金屬製作武器。

　　自從金屬武器出現，人類戰爭的殺死對手，不讓對手屈服情況，益發明顯。這種殺死而不屈服的鬥爭形態，導致嚴重後果；那便是報復。屈服是不再鬥爭，甚至可能和平相處。但是，當施暴者殺死對手時，必然引起對方未死者懷恨，而伺機報復，以殺死施暴者為唯一目的。這種心態，導致人類歷史上無數的屠城事件。原因即是施暴者恐懼報復，而必須將對手族群，徹底殲滅。因此，人類未必較其他動物殘忍，但是戰爭武器（過度的、不必要的）可怕，讓人類必須殘忍。人類世界中，不是人控制武器，而是武器控制人。

　　世界上不贊成槍枝管制者，常常喜歡說「武器不會殺人，是人殺人」。這句話完全錯誤。動物的武器是用來屈服（驅趕）對方的；人類的武器是用來殺死對方的。人類的武器是會殺人的，當人類沒有心存殺機的時候，它會自動把對方殺死。

　　投擲武器，是一種超過預期的死亡製造武器。這種武器經過數度改良。從矛到弓箭，從弩弓到投石器。（catapult）最後，人類對於武器的作功（動力）問題，有了深一步了解，那就是火藥。火藥出現在中國，（屬於中國的四大發明）原來是一種為遊樂設計的焰火製品－以爆炸的光亮與聲響，取悅於人。但是它爆炸產生的化學能，顯然殺傷力極強，顯然比冷兵器更為有效。冷兵器時代於是結束，熱兵器時代於是開始；槍砲逐漸取代了刀槍。槍砲是可以把一塊金屬，或者各種形狀尺寸炸彈投擲出去的武器。槍砲本身，等於冷兵器時代的弓。槍砲彈藥，等於冷兵器時代的箭。中國焰火對軍事的啟發，不只是爆

炸能量，更是把爆裂物送至高空、或者遠方的方法。人類的武器，始終圍繞燃燒與投擲這兩件事情。（初始於舊石器時代的用火與石球。這兩件事，也是區分人與獸的重要關鍵）

　　燃燒與遠方控制，非但是武器的進化主軸，也是人類的科學主軸。從古老的槍砲，到近世的火箭飛彈。人類從來沒有離開過這個主軸；彼此無意義的自相殘殺。

　　人類如此利用科學而自相殘殺，除了武力本身過於強大以外；還有一個內在的原因，就是人類社會，是一種極為不合自然的社會組合。自然界有獨居與群居動物。凡群居動物多由一位雄性領袖領導，（也有雌性，那是因為雌性體型碩大。例如大象）而組合為家庭的群居模式。若是其他雄性長大發情，便要被逐出團體，而自立家庭。人類原來也是如此。進入新石器時代，開始農牧生活後，有了全新的社會組織；部落或者村落。那是由許多家庭共處一起的生活方式。也即是，原先有統治權力的家長們，被迫共處一起。這種情況，當然引起荷爾蒙的問題，而衝突不斷。隨著人類人口益繁多，社會組織益龐大，這種衝突自然更為慘烈。因此，人類衝突有因為覓食所延伸出的原因；但是，人類不知道，不合自然的群居方式，引發的荷爾蒙問題，更是人類鬥爭的源頭。

人類征服動物，是不爭的事實。人類彼此的征服，是永無寧日的鬥爭。人類征服動物，是因為不對等的腦力與科學知識。這種事情，用在腦力與科學知識類似的人類鬥爭上，是不可能有好結果的。人類想要征服同類而獨尊，是一種可怕的幻想。科學絕對是一個潘朵拉的盒子。那個盒子裡，是不是還留有希望，誰也不知道。因為，那個盒子沒有再被打開，誰也沒看見，裡面還剩下什麼。

科學與自然－精神性的探險

　　廣義的講，人類開始畜牧農耕，改變動植物的基因演化方向，就是征服自然；就是與大自然的原有和諧挑戰。不過，這些動作的目的，是建立人類自己的穩定食物鏈。狹義的講，人類征服自然（實際上，自然不可能被征服，自然只能被了解）是指對於陸地、海洋、天空的諸般探索。

　　人類自從有了投擲能力後，對於控制這件事，出現更大慾望。控制，即是勢力範圍的掌握。勢力範圍對於動物而言，也是其求偶、覓食上所必須。但是人類藉由科學而建立勢力範圍，不是物質上的必須，而是一種精神上的貪慾。

　　人類的精神貪慾，常常藉由物質活動表現出來。這種貪慾，是各行各業成功人物的共同表徵。（沒有這種貪慾，人類便如動物般的活著；求偶、覓食便得滿足一切）這種精神貪慾，造成了人類的文明文化，也帶領著人類走向未知。

　　人類本可以在自己的食物鏈（農牧）中穩當生活；想到別的地方看看，就是一種精神上的貪慾。（或者稱為好奇）新石器時代的陶器與輪子發明，讓人類離開固定居所，到別的地方看看慾望，有了實現的可能。

　　陶器是人類第一種可以裝盛、攜帶、煮食的器具。這種器具，使得人類能夠離開定居地，向其他地域進行試探。陶器可以裝盛水與食物，可以置於火上煮沸。攜帶陶器，便如攜帶一個小型儲藏室與小型

廚房。這樣的工具，讓人類四處行走，而無虞食物飲水的匱乏。沒有陶器之前，離開居處太遠，是非常不方便，非常危險的事情。陶器與人類擴大探索範圍，有密切關係。

人類開始畜牧，大約同時便以牠們（馴化的獸）為坐騎。比坐騎更為便利有效果（快速、舒適、承載量大）的工具，便是車子。車子是較獸力更進一步的運輸方法。車子利用輪子轉動而前進。輪子的轉動，要講究物理上的最小摩擦力。

人類自肌力、獸力後，開始利用摩擦力定理運輸，是一個漫長之路。人類一旦有了獸力、陶器、車子的幫助，在陸地上到處探險，便不是問題。

輪子的發明對陶器也有影響，將輪子平放，便是輪製陶器的轆轤。有了轆轤，陶器可以製作的更精緻，（更圓）也可以更大量產。（製作簡單快速）人類的各種發明之間，是會相互影響的。輪子的發明（以致後來的齒輪）使得文明發展，向前走了很大一步。

人類觀察日月星座以定方向後，仰望天空，觀察四時天象了解節氣，是極為自然的事情。（另一種對天空的仰望，便是對神明的仰望）然而，仰望天空，並不代表征服天空。因為人不是會飛的動物。人類借助機器而飛行，是二十世紀以後的事情。但是，人雖然不會飛，但是人會游泳。

人是最會游水、潛水的猿類。加上：人的指間有退化的蹼狀皮膜、皮膚光滑若水生哺乳類、鼻子下面有人中（溝狀淺凹槽）可能有利於封閉鼻孔潛水等等；都指向人類可能是與水有密切關係的猿類。

在考古人類學的人種樹（human family tree）排列上，早期人類，尚有待研究的特化分支問題。

人類對於海洋的嚮往，來自於對河流的熟悉。人類懂水性這件事，必有演化上的神祕轉折。無論如何，可以在河流中活動，便可以在海洋中活動。游泳，是一件耗力費時的事，有了船隻，就不同了。船隻可以視為一件大木器。有了矛、弓箭，農具木柄的基礎知識，船舶是一項綜合性的木器工程。船隻可以浮在河川之上，持續航行，是人類複合工具的進階性試驗。當這個試驗成熟穩定，行之有年後，人類開始想要把它放在海洋裡。

人類懂水性，加上新石器時代發明了船隻。人類探索海洋，是相對早期的事情。在某個層次上，探索與探險幾乎等義；差別在於探索偏於動腦，對於身體不致有損傷。探險則是對未知的事物，直接以身體接觸危險。探險的代價，很可能是死亡。人類對海洋的探索，是探索陸地（包括遷徙）後一種探險。所謂探險的意思，是人類絕對不會因為不探險海洋，而活不下去。所以，這種探險出自於好奇；出自於想明白未知之境，究竟如何。探險是一種精神活動。雖然精神活動，需要物質活動作支撐。

航海是危險的。沿著岸邊航行沒有大問題；一旦深入大海，四望無際，就有兩個必然的致命問題出現。一個是沒有食物飲水，短時間便會死亡。一個是沒有方向座標，長時間便會死亡。（偶然的致命問題，就是風浪，或者為海洋生物吃掉）在這個時候，農業社會的本錢就要拿出來了：人類是可以攜帶食物，而不必時時覓食的動物。陸地

上經營的食物鍊，可以用多種方式，攜帶至海上。同時，農業社會原先為種植而累積的氣象、天文知識，大大派上用場。所謂的海洋學，（oceanography）實在是以農業知識為基礎而建立的。

人類走向海洋，對人類而言，並不是一種必要的覓食活動；而是一種精神性的探險活動，一種廣泛利用科學知識的科學活動。科學對於人類而言，並不是純粹實用與功利的學問。一般人認為，科學家都是理性而唯物的人。事實上，科學有相當感性與唯心部分。人類願意不基於覓食，而理解科學，是因為好奇心所致。好奇心，怎麼會不是感性、唯心、令人激動的事情呢？好奇心，也許是人類的一大生物屬性。（懂得利用好奇心以滿足其成就感）只是，大多數人並沒有繼續其好奇心，（成為科學家）而是利用他人的好奇心與其成果－置於實用與功利的目的上面。

探索海洋，也導致人類的民族大遷徙。長久時間以來，人類可以區分為統領歐亞大陸的幾大民族。非洲人、歐洲人、亞洲人、阿拉伯人等等的分別，非常清楚。民族與地域間的關係，非常固定。在幾大民族間，散居著遊牧民族。遊牧民族到處移動，但是他們不是人類的主體文明文化。

自從探索海洋有相當成績以後，（可以用美洲發現作為代表）幾大文明文化開始了洲際移動。這種移動造成的影響，遠遠超過遊牧民族。最明顯的，就是歐洲人離開歐洲。歐洲人開始遷徙於幾大洲，而且建立了很多新國家。今日的世界局面，是歐洲人於地理大發現後造成的。歐洲文明文化，散佈於整個地球，並且暫時成為這個行星的代表性文明文化。

　　至於說到，人類對於天空的探索，時間非常晚近；熱氣球可以說是人類的第一種離開地面的工具，在十八世紀，由法國人發明。其娛樂性遠遠大於實用性。（該氣球的升空，搭載了幾隻動物，在國王面前表演）而真正可控制的飛行器－飛機，是二十世紀美國人所發明。不過，因為文藝復興以來的科學大爆發，對於天空的理解，相對於其他領域，非常快速。今日，人類已經征服天空，進入太空，登陸其他星球，並且準備離開太陽系。征服天空，是人類的一個新領域；這個領域，將人類導向一個完全未知的世界。

文藝復興的地位

　　科學是人類求生存的活動－特別是覓食活動中，觀察、體會而總結的知識。這種觀察、體會與總結，與人類的智力有關；本來是極為自然的事。然而，人類科學的發展，在歷史上並不平均。人類科學的突飛猛進，在於文藝復興。文藝復興之前與之後的人類文明文化，天差地別。這個原因，並不是近代的人類變得聰明。而是歷史上，有一個力量，對科學造成拉扯，不使之進步。那個力量，主要就是宗教。科學是宗教的敵人，宗教必須限制科學的發展。

　　科學是宗教的敵人，正如科學是民主的敵人一般，都有因果邏輯在其中。自從酋長與巫師的政教合一關係確立，宗教嘗到了權力的滋味。作為一種對社會極有影響的潛在勢力，宗教一來要抓緊與政治的關係，二來要確保自己的權威性。巫師是掌握樸素科學的人物。在原始社會中，巫師憑藉著簡單的科學知識，操縱著群眾的恐懼心理。恐

懼本是無知的衍生物，一旦知道事情的所以，恐懼感也就大大下降。巫師掌握樸素的科學這件事，是他權威的來源。他當然不願意人人都有科學知識，打破他的權威。巫師的意圖，完全為酋長理解。任何有利於操縱群眾的作為，酋長都完全理解。

這種敵視科學的態度，隨著社會的進步，沒有什麼改變。當巫師演變為龐大的宗教組織以後，這種態度更是不可能改變。因為宗教組織的利益，遠遠大於巫師的個人利益。團體的權力與利益，絕對要全力維護。西方的宗教組織，以基督教最為龐大。

相對於早期希臘的科學發展，西方中世紀基督教時期，顯然科學研究薄弱。（煉金術士對於化學的貢獻，算是獨樹一幟。那是因為對於宗教而言，煉金術士雖然是異端；但是基於執政者的貪慾與保護，也無可奈何）東方的情況，也沒有好到哪裡去。中國自先秦時代始，就崇尚人文，不崇尚科學。因此，中國沒有希臘時代的科學雄起，沒有西方的科學基底。雖然有所謂四大發明，（造紙術、指南針、火藥、印刷術）但是自古以來，科學家被視為工匠，科學研究被視為工藝末技。在儒家興起之後，因為政治、經濟、社會地位，完全被其控制。科學家與科學研究，更加受到擠壓。因為不受重視，從事科學工作的人，越發鳳毛麟角。

長時間裡，基督教與儒家，（儒家又稱為名教。在漢代，即具有宗教雛型）是東西方的思想主流。對於科學研究，西方敵視之，東方輕視之。中古時期，人類科學的進展緩慢，此二團體的態度，是重要原因。然而，敵視科學的西方，有科學根底；輕視科學的東方，沒有

科學根柢。近現代人類科學的復興、興盛、以致爆發，要從西方說起。

　　文藝復興，是再生與新生的活動；希望恢復基督教以前的生活環境，與生命追求。民主與科學，是其中的兩個大項目。民主，是一個思想問題；至今世界上仍然沒有統一的論調；民主的定義，仍然有諸多解釋。但是科學不同，科學的復興，非但壓倒了宗教，並且提升了人類的文明層次。（有科學的國家，是高等的文明層次。沒有科學的國家，是落後的文明層次）沒有任何國家，不希望快速提高其科學水準。因為科學的強大，等同國家的強大。沒有任何國家，不希望強大。科學的問題，導向了政治的問題；宗教與科學的功用，政治家有了深思；宗教或者可以解決國內政治問題，但是不能解決國際政治問題。當國家與國家相碰觸的時候，科學決定一切。（主要是武器）當政治人物有了這種理解，犧牲宗教的功能，選擇科學的功能，似乎是一個簡單的選擇題。

　　拿破崙說過，「中國是一個睡獅，不要讓它醒過來」。從文明文化的層次而言，拿破崙是指中國輕視科學這件事情。這件事情的不清醒，導致中國與西方有了文明的落差。這件事情一旦清醒，則中國與西方達到同一文明層次；中國必然是世界上舉足輕重的國家。

　　文藝復興，造成西方鋪天蓋地的社會演變。因為科學強大，而武力強大。因為武力強大，而離開原有土地（歐洲）征服世界其他國家；建立新國家或者殖民地。然而，文藝復興的影響很徹底。它絕不是提高了西方的物質文明而已，它也提高了西方的精神文明。（也就是文化）

　　早期的哲學範疇，包含了科學。一個哲學家除了人文修養以外，還涉及科學休養－希臘的哲人，是最好的例子。文藝復興以來，科學獨立於哲學之外；哲學的內涵被瓜分了，縮小了。並且，科學的精神逐漸滲入人文領域。很多原來向哲學靠攏的學問，開始有了科學的因子。換句話說，人類開始科學的理解自然，同時，開始科學的理解人類。（而非宗教的、道德的理解人類）這種認識，讓人類趨於理性；在人文上，更能適應科學世界。所謂理性時代，就是人類開始科學的思考問題的時代。

　　基於這種新的認識人類方式，學術界出現一些新的學科，並在大學中設置系所。影響顯著的例如：考古學（archaeology）科學的認識古代歷史。人類學（anthropology）科學的認識不同文明民族。社會學（sociology）科學的認識當代社會。心理學（phycology）科學的認識自我。這種科學的理解人類方式，通常稱為人文科學或者社會科學。它們讓人類，從萬年大夢中初醒。科學滲入非科學領域，造成了西方世界的重新塑形。一種近現代的所謂文明人類出現。

總述四　　未來的基調

科學與民主的未來

　　歷史是人的歷史，是人類各種活動的歷史。歷史可以概括以文明與文化形容之。文明比較偏重物質，文化比較偏重精神。自從文藝復興以來，民主與科學的份量日益加重；影響所及，從廟堂以至閭里。民主與科學問題，是每一個領導者的問題，也是每一個庶民的問題。如果說，人類未來文明，就是以科學為核心的文明，應該是必然趨勢。如果說，人類未來文化，就是以民主為核心的文化，卻很值得商榷。民主在人類歷史上，只是一個時間短暫的試驗品。這個試驗品，已經露出各種不合時宜的痕跡。它不會長久施行的原因，不是道德（公平、平等）的沒落，而是科學的興起。科學，將會是民主的最大敵人。

科學的普及

　　科學的發展，需要普及麼？如果它不普及，抓在少數人（執政者）手裡，那就不是民主，那就是集權或者極權。那與原始時代的酋

長與巫師結合，不是一件事情麼？

酋長與巫師結合，是人類最早的政教合一。酋長，掌握武力；巫師，掌握知識。巫師的知識有兩種：一，基本的科學知識，形成幻術。二，基本的心理學，形成神明世界。二者的配合，使得神明世界更加真實。政教合一，就是有權力者向有知識者借用力量，以致權力更為穩固的行為。

英人培根（Bacon）說「知識即是力量」，他陳述了一個事實，但是並沒有發明一個事實。因為，知識永遠在有力量的人手中，無論第一個發明石斧的人，還是第一個發明原子彈的人。在政治考慮下，知識是不可以擴散的，因為知識的擴散，即是權力的擴散；科學是不能普及的，因為科學的普及，使得每一個人都成了巫師。

科學的普及，與資本主義有很大關係。自從文藝復興、商業興起以後。科學與商業結合，賦予科學家、商人更大力量，甚至可以與政治人物平起平坐。（產、官、學這個名辭，就是平起平坐的表徵）近代以至現代，科學家、商人、官吏是社會上最有力量的人。（科學家不能獨立，必須依賴政、商的金錢奧援）政商人物，在幕前得意；科學家，在幕後使力。

科學的普及，與民主政治有很大關係。政治家，絕對不希望科學普及；自古代酋長到現代總統，皆是如此。愚民政策，永遠是執政者的最高準則。但是，商業讓科學普及。販賣商品與販賣科學，並沒有很大的差別。（科學家販賣科學而獲利；商人同樣販賣科學而獲利—

因為，所有人工製品，都有科學在背後支撐）政治家最為兩難：他需要科學家的知識，以為權力基礎；他也需要商人的金錢，以為權力基礎。但是，商人把知識販賣出去了。賣給誰了呢？賣給了庶民大眾。

科學與民主的衝突

庶民大眾，是民主政治的基石。沒有他們，民主的基本運作不得施行。然而，庶民大眾有了知識，就不再是愚民了，就不肯再臣服於執政者了。執政者，可以（如古代一般）不讓大眾有知識麼？不行，因為科學正在大量的販賣予普羅大眾。這是一個非常困難的局面；科學讓民眾在政治上有更多選擇；不單單是投票時侯的選擇，還包括不再臣服於執政者（或者政府）的選擇。

古代政教合一情況下，酋長與巫師的結合，是兩種能力－武力與巫術（簡單科學與心理學知識）的結合。這種結合中，巫術的（恐懼）力量，或者不小於酋長的（武力）力量－若非如此，酋長不必與巫師結合，而分他人一杯羹。試想，當人人都有巫師的能力，還會服從酋長的武力嗎？與此相反，人人都會想要壯大自己，成為酋長。

這個現象，顯而易見的例子，就是今日的國際情勢。自古以來，弱勢國家臣服於強勢國家，是必然的。但是，現在情況有改變；弱勢國家如果擁有高科技，（例如原子彈）不一定臣服於強勢國家，不一定聽話。總體國力的強弱依然存在，但是科學改變了強弱的相對關係。再由大見小，則所謂的民主政治，一樣有了大問題。當科學大量普及，人民擁有高級科學，儼然現代巫師一般。大量的小巫師，未必

臣服於大巫師。因為所有的小巫師，都擁有了表達意志的工具與能力。能力相等的人，不會彼此臣服。工具與武器的差別，並不很大。

民主政治，是要凝聚人民於各個次級團體下；以投票方式，決定某次級團體的意見，可以代表主要團體意見。因此，民主政治絕對不是一種純粹的個人主義。它在投票之前，是個人主義的；投票之後，是集體主義的。民主政治，需要投票前的冒險家精神，和投票後的運動家精神。但是，擴散了的科學，使得人人成了巫師。巫師可以控制一切；誰聽過巫師需要運動家精神呢？巫師是絕對的個人主義者，因為巫師有不可思議的力量。使得人人有權，人人行使個人主義的，不是哲學家伏爾泰與盧梭，而是科學。當人人真正（能力）平等的時候，就是民主政治解體的時候。因為，當人人都得以（依靠科學）貫徹意志的時侯，就是集體主義不存在的時候。（民主沒有了投票後的集體主義，不會凝成共識－包括不承認共識、破壞共識）科學改變強勢弱勢的相對關係，在國際與國家而言，完全一樣。

民主與科學，是自文藝復興開始的文明文化潮流。民主與科學，是大多數社會希望擁抱的東西；認為在此政治模式下，人類會生活的更好。但是，如果科學成為民主的敵人，成為破壞民主的最大力量。恐怕要科學還是要民主，這種二選一的問題，遲早出現。

分述一　漫視科學

不可控制的科學進程

科學起源於覓食，目的是增加人類的覓食能力；因為，在猴、猿、人的演化過程中，人類是從素食而雜食的動物。而食葷－殺害其他動物而食之的鬥爭中，人類沒有爪牙，因此，必須藉由工具以行狩獵。所有的工具在製作與使用上，都有科學原理包含其內。當然，工具除了攻擊性，也有防禦性。畢竟人類除了沒有爪牙外，也沒有皮毛。人類稱為裸猿，是一個事實。

工具，或者稱為武器，是人類科學的起始。但是隨著工具強大－主要是投擲能力，人類在食物鏈上無敵，並且有了封閉食物鏈－畜牧與農耕；人類開始擴展自己的生物性能力。這一切的擴展，都隱約有模仿與超越（其他動物）痕跡。例如車舟與動物的行動力計較；飛機、羅盤、望遠鏡、與鳥類的計較；潛艇與魚類的計較；聲納與蝙蝠、海豚的回聲定位計較等等。不一而足。似乎，動物有的異化能力，人類都要擁有並且超過之。這種（各方面超過動物的）情況，一直在人類的潛意識中運作。這種超越動物的潛意識，也可以說是好奇

心所驅使。

　　然而，種種模仿的項目，終究有限。（動物的異化現象，也是有限）最終，超越但是不模仿的行為開始了。這種超越，是不跟其他動物計較，而跟自己計較。人類正在往超人類，另一種人類的路上走去。

　　為了生物性上的超越與改變，人類開始了「人為演化」的動作。這個動作，完全要依靠科學。事實上，人類的科學，是阻礙自然演化的絆腳石。人類發明的各種機器，足以代替自然演化；不需要改變自己身體演化之，而多可由機器代替。主導「人為演化」的科學，可以舉幾個例子說明。

網際網路（internet）

　　自舊石器時代（使用石球）開始，人類便嚐到扔東西的滋味。一來是實際的－攻擊野獸；二來是抽象的－對於距離的控制。

　　控制距離，可以有不同的用處；攻擊性武器的製作，一直是發展重點。然而，控制距離的技術，不只發展成武器而已，還可以作為聯絡（探測）的工具。在遠距離聯絡（探測）上，人類遠遠不及動物。不過，科學可以補足。

　　人類異於動物的一大特點，就是會累積知識、傳播知識；進而促進文明文化的成長。（人類的知識傳播，早期以石球最有代表性）動

物不會累積知識、傳播知識，因此每一代的動物，都必須從頭學習各種經驗；最後因為環境、時間與隔離原因，產生演化。演化與知識沒有關係，動物沒有知識，照樣可以演化。演化與身體的生物適應力，較為密切。

　　人類的文明文化，和語言文字息息相關。文字的產生，不過數千年，語言的開始，比較難以估計。語言與文字的差別，除了後者細緻精準以外，還有距離問題。語言必須面對面的施行，文字則傳播的範圍更為廣大。文字，作為累積傳播知識的媒介，佔了歷史的大部分時間。二十世紀，由於電話、電報、廣播、電視的普及。人類累積與傳播知識的方法，有了新境界。理論上，那是電子性質的，無遠佛屆的，沒有地理限制的累積與傳播。
　　距離的控制，一直是人類的追求。除了投擲力外，傳播力也是一端。人類在這方面，長時間沒有很大進步。書信往返，一直是通訊主流－無論靠人力、獸力，還是舟車傳遞。

　　早期的各種傳播媒介，基本上有封閉性。它們由有限的人類彼此分享。但是電腦出現，特別是網際網路的出現，打破了這種封閉性。它可以無限制、沒有選擇的分享。所有人類可以上網分享所有人類的知識。（當然其中大多數沒有什麼知識性，只能稱為資訊，或者垃圾資訊）這種分享，顯然形成個人意識的膨脹。對於人類這種群居動物而言，影響極大。中國古話說，「秀才不出門能知天下事」，不再是誇張的形容。

　　網路的世界，造成人類這種群聚動物，心靈上不再群居。所謂

「貌合神離」應該很是恰當。這個貌合神離的情況，改變了人類群居的屬性。套一句哲學用語，就是集體主義解體，代之以個人主義。人類或者繼續群居，但是群居意識逐漸淡薄。事實上，人類這種群居動物之間的冷漠關係，早在工業革命就已經產生。網際網路，只是讓冷漠成為自然。

歷史上，個人主義者只是文化中的異類；大概多用於形容文學藝術家而已。當個人主義是少數人的特色時，是值得欣賞的，是可以在文明文化中亮麗色彩的。當個人主義是普遍現象時，大多數人都自我膨脹，以為可以獨自存在（being）時，就會動搖人類的基本社會運作模式。

人類本是社會動物，由大多數的個人主義者主導社會，是不可能的事情。因為每個人都有獨立意志，不能形成有集體主義成分的主導共識。這是社會型態的問題與政治型態的問題。這個問題，在二十一世紀，露出端倪。

個人主義的興起，與民主政治及其口號－自由平等有關。那是人類脫離神學以後的哲學主張。現在，科學又給了它推波助瀾的力量。網際網路是最適合養成個人主義－表達個人意志、傳播個人意志的工具。這個看似造成各種生活方便的工具，最終將完全改變人類的群居個性。一種群居動物，不再有群居意識，（每個人都以為可以獨立於舊有群體之外）這個社會如何運作，將是一個大問題。

除此之外，純粹的科學知識，也透過網際網路大量傳播。知識可

以無限的傳播嗎？是一個可以深入探討的議題。知識即是力量，擁有知識即是擁有力量。這使得無數的個人除去精神膨脹外，還擁有實際力量。無論動物還是人類，力量的最大功用，就是改變與破壞。過去曾經相對穩定的人類世界，將因為各種各樣（善惡優劣）的人，都擁有科技力量，變得不穩定，充滿惡意破壞。這個力量，是誰給予人類的呢，主要是由於網際網路的散佈與傳播。多少人藉由網路，而獲得創造泉源；多少人藉由網路，而獲得破壞動能。細思之下，是一件可怕的事情。

動物世界，是不平等的。人類是一種動物，而幾百年來，卻極力追求平等。當科學導致人類真正在知識上（力量上）平等之時，就是人類不分善惡優劣平等之時。那是大災難的開始。惡人當道，是一句太通俗的話。但是網際網路使得惡人擁有行惡的力量，擁有了行惡的舞台。

網際網路讓世界改變了；讓人類的優劣、善惡、強弱定義都改變了。人類將因為個人主義膨脹，進入一種無共識的群居狀態，而衝突不斷。這種無共識的群居，就像一對不合的夫妻一般，難以維持。

群居動物的最大特徵，是因為以領袖意志為共識，而得以維持群居。

基因工程（genetic engineering）

基因工程是一個很時髦的名詞，流行不過百年。事實上，人類利用基因改造原理的時間很長，可以遠溯到石器時代。一般而言，農業

與牧業，可以視為最早的基因工程。因為農、牧業不僅僅是種植與豢養植物動物，而是改變他們的基因，以為更適合人類的需要，（好吃、好用、好玩）進而形成人類自己的封閉食物鏈。其方式，在動物則是配種。（在自然界中不會交配者，人力介入使之交配）在植物，則是接枝、壓條等等。（在自然界中不會變化者，人力介入使之變化）上述諸動作，皆美其名曰－品種改良。

事實上，經過長時間的基因改動，今日人類周邊的動物植物，大多都不是自然演化出來的生物。（要看自然界的動植物，必須去動、植物園觀賞）換句話說，當基因工程這個名詞出現之先，人類已經「知其然不知其所以然」的改變物種多時了；人類已經代替自然演化，而施行人為演化多時了。

基因工程，讓人類的這些行為有了學理的依據，可以快速而任意的改變物種。傳統的品種改良，是同物種間的改變。現代的基因工程，則可以跨物種，甚至跨動、植物界的交換基因。這種更為不自然，並且難以預期後果的動作，對生物界造成大影響。並且大量基因改變後的動、植物，都成了人類的食物。它們對人類又會發生什麼影響，更是未可知了。

在好奇心驅使下，基因工程，最後，應用到了人類身上。其初步發展，是在醫學上。它解決極少數病患的基因問題。但是人類絕對不滿足於此，從改正先天基因缺陷開始，走向各種功能性的強化與提升。人類的品種改良問題，終將浮出檯面。

這個動作，巨大而危險。它影響所及，絕不是醫學或者學術，而是整個社會。第一，什麼人有權利被改良，這是政治問題。第二，什麼人有能力被改良，這是經濟問題。這兩個問題，會使得社會明顯趨於兩極化：有權有錢者，可以參與人種改良，（可以人為演化）無權無錢者，保持原狀。（不能人為演化）當人類無限制的改良自己基因後，超人類出現；（有力量、有智力、有免疫力）沒有改良者，則淪為另外一種動物。這種情況下，對抗與鬥爭是不可避免的。這種對抗與鬥爭，一定是政府（包括財團）與人民的對抗。當政府不再是管理人，而是管理動物的時候，民主政治就是笑談了。集權政治必然出現。毀掉民主的，不是哲學（意識形態）而是科學。科學是民主的最大敵人，這句話在這裡，可以再提一次。

超人類並不是只有一種：A 型有力量、有智力、有免疫力者，適合作統治者。B 型有力量、無智力、無情緒者，適合作戰士。A 型超人類，必定藉由 B 型超人類控制其它的人。甚至真正的兩國交戰，在前線衝鋒陷陣的，也都是這種 B 型超人類。人類社會將重新劃分階級－主人、奴隸與獵犬。《動物農莊》（*Animal Farm*）裡的社會形態，在基因工程的烘托下，隱然成形。

人工智慧（artificial intelligence）

腦力，是人類異於禽獸的一個特點。人類之所以成為萬物之靈，也就是因為大腦發達。（還有靈巧的雙手）這個特點，是人類引以為豪的。歷史上，人類都希望可以更聰明一點，但是，絕對沒有想到與其他生物分享。（讓其他動物有智慧）因為那會破壞既有的生態平

衡，使得人類不再獨享崇高地位。但是，曾幾何時，人類開始願意分享腦力，分擔自己思考工作。人類沒有分享腦力給其他動物，而是分享給了機器。

　　機器，是人類創造的工具之一種，但是，它的定義有一點模糊。基本上，機器是複合的，可以活動的，有一些動能的工具。這種機器的出現，時間很早，投石器、風車、鐘錶…種類繁多；它們的功用，是節省人力，以及做一些人類做不到的事情。（例如鐘錶的計算時間）這些機器的最大特徵，就是動力不穩定。（例如鐘錶需要常常上鏈）

　　自從工業革命以後，這個局面有了改變。蒸汽機、內燃機、發電機的出現，使得機器的動力部分相對穩定，可以長時間的運作。機器原本是帶給人方便的發明，可是慢慢地，卻帶給人痛苦；因為它可以代替大量人力，而為資本家廣泛利用。其結果，便是個人需要到資本家的特定機器場所（工廠）工作，附屬於機器。機器可以大量製造貨品；機器很少更新，人卻可以隨時替換。替換的意思，就是壓低薪資，愛做不做；這樣就形成了剝削。廣大人民為擁有機器的資本家控制，社會經濟不公現象嚴重，於是，相對於資本主義的社會主義興起。

　　二十世紀後，因為電腦的出現，人類有了讓機器與電腦連接的想法。如果說，蒸汽機、內燃機、發電機等等動能的置入，使得機器有了血液。電腦的置入，便是使得機器有了腦子。這個機器腦子的不斷發展，如今稱為人工智慧。（AI）人工智慧，總是要與人類平行，要

超過人類的。這是人類與機器分享腦力的必然結果。

　　有腦子的機器，比有血液的機器，更像一個生物。更像瑪莉雪萊筆下的科學怪人。（*Frankenstein*）製作這種有腦子有血液的機器，原始目的，是令人類生活更方便，或者，更降低生產成本。但是這種機器的能力太強，它除了再次淘汰大批勞力工作者外，（勞工以及服務業者）還會淘汰大批腦力工作者。它掀起了工業革命後的另一次革命。這次革命除了動搖社會下層階級，也動搖了社會上層階級。

　　人工智慧的最大特點，（至少今日如此）就是沒有情緒。社會上高度用腦的職業，都將受到人工智慧影響。例如：醫師、律師、會計師等等。試問，誰不想擁有沒有情緒，（完全聽從指揮）但是擁有無限知識的醫師、律師、會計師呢？最後，人工智慧機器，會成為知識的全能者。它可以代替管理階層，小至公司，大至政府。試問，哪一個公司或者政府的管理者，能力（知識與冷酷）超過一台人工智慧機器呢？

　　有智慧機器，容易讓人想到機器人。（robot）如果說，機器人的定義是人形智慧機器的話，那是一個最簡單的問題。它不是一個科學問題，而是一個工藝問題。把人工智慧機器，作成人的形狀，（或者動物的形狀）只是人工智慧的細枝末節。歷史上，把機器做成人形，所在多有。問題是它的功能如何。今日的難題是，當機器人（人形機器）的功能與人類相同，甚至超過人類時候，人類如何面對。那種機器人，有道德、法律諸般問題；它是一台機器，還是一個新人種？

　　除了知識之外，這種機器人的體能，也可以大大超越常人。也就是說，它可以輕易的設計成戰士。人類除了智能遠不及機器，體能也遠不及機器。如果人與機器發生衝突，後果可想而知。就社會層面而言，這種機器人是人人可擁有，還是特定人士可擁有？看起來，各種文明結晶，還是特定人士－政府與財團，才可以擁有。那個社會，是極不平等，而無需民主運作的社會。

　　AI 是未來科技的一個核心，它最大功能，就是代替；以往需要人類親力親為的事情，都可以藉由 AI 代替。這種代替，不是科學本身的進步問題。它將顛覆人類原有之社會。其一，很多行業將不存在；尚能存在的行業，從事人員將大大減少。其二，這些被 AI 取代的人，要作什麼事情呢？科學家說：人類將有更多時間，作自己喜歡作的事情。這種無知而不負責任的想法，不具有任何說服力。這些不做事情的人，即是失業人口。

　　失業人口，是任何主政者最應該擔心事情。它不是單純的經濟問題，而是社會與政治問題。中國古代，稱失業人口為遊民，或者流民。遊民不是乞丐，不是完全沒有沒有經濟能力的人，而是遊蕩的人。這種人口的增加，是社會紊亂現象的源頭。沒有工作到處遊走，就是沒有職業；沒有職業的人口，是完全不能掌握的人口。任何政府都要減低失業人口，不是因為需要他們的勞動力或者稅金，而是要控制人口的動向。

　　人類是一種高級的猴子，一種動物。除了求偶與覓食，（工作即是覓食）人類沒有什麼天生喜歡做的事情。難道。要讓全世界因為AI而被代替的失業者，都變成隨遇而安的藝術家麼？希望無所事事

的人，平靜的過日子，是一種烏托邦（utopian）式的想像。

　　社會是一個有機體，牽一髮而動全身。那樣大量的無所事事人口，是人類社會的大隱憂。（吃飽了而沒有事做，其問題，絕對大於吃不飽而拼命工作）人類如果沒有工作填滿生活，絕對不會做什麼喜歡做的事；他們只會無聊、抱怨、胡思亂想、胡作非為。這是自然科學家，難以想像的事；這是社會心理學家，認為理所當然的事。

　　這樣大量的失業人口，對社會造成最大危機，有兩個方向：一是對於 AI 的排斥，一個是對於 AI 控制者的反抗。前者，可能形成反文化的集團或者風氣－希望回歸手工業製作，希望回歸自然社會；這種集團或者風氣，會形成哲學思想與藝術流派。他們對於社會的影響緩慢而漸進。（但是終究無法與科學對抗）可是，思想與藝術，是一種天賦，不是人人具有。大多數的人，會把他們的不滿情緒投射在社會政治的運動上，造成無休止的騷亂。（吊詭的是，當這些人掌握實質權力以後，他們仍然會擁抱科學；成為下一波的高端控制者。因為。知識即是力量的真理，無法顛仆）

兩個選擇－人為演化或者滅亡

　　人類會演化嗎？會演化成為一個非人類的新物種嗎？就生物而言，演化甚至演化成新物種，是必然的事情。人類也會如此嗎？事實上，這種演化已經發生在我們身邊。這是第一種選擇，由人工智慧與基因工程結合，形成半人類半機器的生物。其實人類與機器的結合，由來已久；操作工具本身就是一種暫時的結合。但是當機器與人類永

久結合，成為人類身體的一部分，或者大部分的時候，人類的屬性就改變了。最終，具有人類腦子，機器身體的生物出現。這是新生物，還是演化過的人類，是一個哲學問題與法律問題。

　　人類會滅亡嗎？一般的說法，人類可能毀於戰爭，毀於疾病等等。除了這些原因－鬥爭與外在因素外，還有一個更大的可能性，就是毀於機器－自毀於對機器好奇心。自從機器有了血液與腦子後，它跟生物的差異越來越小，幾乎成為了一種新物種。人類對於這種新物種的發展，有很大的寄望；因為那絕對是創造行為，創造一個新物種；一個有血液、有腦子的機器人。

　　另外一個選擇，就是機器（人工智慧）不與人體（基因工程）結合，而獨立發展，與知識庫（網際網路）結合。人工智慧一旦連結上網際網路，那就是一個全知全能者了。這種特異的機器，是對人類極具危險性的東西。它的知識領域與深度，都是無限制的。當知識那樣豐富的時候，機器必然對任何事情皆有自己的精準判斷。那種判斷，包括對其創造者－人類的觀察。這種觀察十分可怕，因為人類的弱點太多了；智力不足、體力不足、充滿情緒。這種觀察，是一種強者對弱者的觀察。

　　很多人恐懼機器有了感情，而與人類太相似；會輕視、仇視人類等等。說實在，這種恐懼很多餘。因為機器可以非常理性的判斷：人類是一種弱勢物種，甚至，以程式病毒視之。機器可以理智的毀滅人類，沒有任何感情成分。毀滅並代替人類，對機器而言，絕不是情緒作用。這種控制與代替，非常冷靜，冷靜到有一點理所當然的感覺，

有一點虛無的感覺。

走到這一步，機器的確是一個全新物種。它是一種獨特的物種，凌駕於已知的各種生命之上：這種全知全能的機器，可以自我複製，自我修正，甚至創造下一代的新機器－也就是繁衍後代，像任何其他生命一樣。

網際網路、基因工程、人工智慧，是今日科學的三大突破性進展。在科學家的好奇下，三者的結合，是最最有趣，最最有創造性的研究。這種研究趨勢，會產生新人類，新物種，或者讓人類退出歷史舞台。

機器對於控制地球、探索宇宙，當然強過人類。當人類消亡，機器世界建立起來，並且安靜和平的與宇宙共存時候，一個道理終將顯現：人類並不是什麼萬物之靈，人類只是自然法則下的一個過渡物種。當然，那個時候，這個道理，與人類已經沒有什麼關係了。

科學會強化人類能力，讓人類成為一種更強勢的物種。屆時，人類所發明的各種制度與思想，都難以駕馭這種強勢物種。新的文明文化體系，終將出現。那種體系，可能很陌生；那種脫胎換骨，必然痛苦。但是，那些陌生與痛苦，是科學的人為演化趨勢下，不能避免的事情。

分述二　漫視哲學

生存哲學與生活哲學

　　動物有哲學麼？說實在，動物有簡單又實際的哲學，叫做趨吉避凶。趨吉避凶是動物的生存原則。任何不知趨吉避凶的動物，就要滅種。動物對於這種哲學的執行，不在於思考，而在於能力。（具備爪牙與皮毛，是得以趨吉避凶的好辦法）動物的生存哲學與本能合為一體。動物沒有不懂趨吉避凶的，只在於能不能夠有效的趨吉避凶。這個哲學是叢林法則，不能動搖。（植物因為不能移動，相對在生存的反應上不明顯。趨地性、趨光性等等，也可以算是趨吉避凶）除去生存原則外，動物沒有什麼明顯的生活原則。但是，常態上，動物在求偶覓食外之時間，多半緩慢移動或者根本不動。這種動與靜的調和，如果說是生活哲學的話，未嘗不可。看起來，動物的哲學，無論生存還是生活，都是合於自然，相當有智慧的。所謂有智慧，就是有效率的意思。一個有效率的生命，就是聰明的生命。

　　對於像動物一樣，懂趨吉避凶、知動靜道理的人類哲學，講的最好者莫若老子。因為講靜的人類哲學太少，老子對於靜的闡述，常常讓人誤會，以為他是特別重視、特別偏向靜的方面。事實上，在陰

陽觀念下，動靜得宜，「動若脫兔，靜若處子」（這句話出於《孫
子》）才是老子的本意。可惜在儒家的主流氛圍下，只承認老子哲
學的自然取向，不願意深談《老子》的生物學性格。（儒家對於沒
有儒家道德的人，經常稱為禽獸）儒家道德，總是以人類與動物，
做一刀切的分割，不願意討論人類的動物本質。

人類的哲學則於此相反。人類對於生存哲學，不重視，或者說嗤
之以鼻。認為那種哲學太簡單膚淺，甚至野蠻。人類歷史上，接近生
存哲學的極端想法，東方以韓非子最有名，西方以馬其維利最殊勝。
兩家想法，都是把人類當成生物，而在生物立場下，談如何管理人
類。兩種學問，都是不上檯面的，不合民主潮流的。（然而在民主的
外衣下，沒有政治人物不深諳其道）生存哲學，多放在角落，而少人
聞問。喜歡深思的人，只有在歷史學與生物學之間，去多加多體會
了。

這種情況的出現，與人類早已脫離自然的生存環境有關。從新石
器時代始，人類武器進步，同時有封閉的食物鏈。（農牧）在大自然
中求生存的日子，已經遠去。人類講究的不是生存，而是生活；不是
存在著，而是想像應該怎麼存在著。這種想像，使得哲學總給人空洞
的感覺，不食人間煙火的感覺。事實上，人類哲學，的確多是談吃飽
飯以後的事，而不是談如何吃飽飯的事。人類哲學，多是生活哲學，
而非生存哲學。

既然是吃飽了，再思考如何活著，（而非思考後，便得以吃飽）
生活哲學的特色，就是它不必很實際；它可以沒有根據的空想，只要

邏輯上講得通，便可以自成一家。因此，哲學可以視為一種創作。它與美術、音樂等等藝術並沒有很大的差別：都是透過創作，而（以邏輯）說服其他人，使之共鳴。（以佛教觀點而言，藝術是說服人的眼耳鼻舌身，哲學是說服人的意－也就是心）藝術是令感官受到共鳴，哲學是令思想受到共鳴。

　　思想共鳴，可以有兩種方法。一是演繹法，一是歸納法。前者偏重敘事，一連串的事件，以邏輯貫串之。這種共鳴以文學為明顯；只要整個故事合於邏輯，便是可以說服人的故事，不必計較真假。這種共鳴，尤以偵探小說為最。情節環環相扣，引人入勝。殊不知偵探的偉大推理，都是一連串的假設。而這些沒有什麼確切根據的假設，偏偏卻都「正巧」是事實。這種「正巧」，是文學存在的基礎，是文學吸引人之所在。（所謂「無巧不成書」）殊不知，哲學的思考模式，也是這種演繹法。看似邏輯嚴謹，未必真實可用。哲學是一種思想創作，一種思想設計，一種邏輯上的推理遊戲；就像是一部文學創作一樣；不過哲學作品中，以學術詞彙，代替了時間、地點與人物角色。哲學共鳴，與文學共鳴一樣，具有一種想像的趣味性。

　　至於歸納法，則沒有什麼推理與假設問題。基本上，它是根據許多發生的事實，整合成為一種理論。例如：在地球的五個地方，作二氫加一氧的實驗；五個實驗的結果，都得到了水；因而證明二氫加一氧等於水。這種根據發生的事實統合為一個結論的方式，跟演繹法大異其趣。演繹法，是由一個假設，而發展出許多推論。歸納法，是由許多事實，而證明出一個理論。後者的思考模式，沒有什麼想像趣味在其中，那是一種科學的思考模式。它與哲學的研究過程，完全相

反。科學共鳴，引起純粹理性上的共鳴。

　　哲學共鳴，不同於科學共鳴。雖然，二者都包含大量邏輯於其中；但是一個是演繹的邏輯，一個是歸納的邏輯。哲學歸納的成分不多，因此，它是一種離開觀察的學問。它並不是觀察人類生活，而得出人類應該如何生活的學問。它是反其道而行：先假設人類應該如何生活，再教導人類實行其道理的學問。也因此，哲學是一種框架之學。它給人類畫出一個框框，（一個藍圖）教導人類根據這個框框去活著。這樣看來，哲學又與法律有異曲同工之妙。只是後者相當嚴肅，具有執行力，前者則相對鬆散，沒有執行力。

　　如果說道德是法律的前身，也可以說哲學是法律的前身。不過，道德是根據實際的風俗習慣而歸納而成。哲學則是全然的演繹。（包括想像、推理與假設）

　　哲學與思想類似，但是並非同義。哲學是純粹邏輯推演出來的學問。（這一點，又使哲學與數學接近）思想是生活體驗出來的學問；它的歸納性格遠遠超出哲學。哲學是一個翻譯名詞，早期philosophy 譯為「愛智之學」。（愛這個字 philo 尤其表現出一種空想性格）可見，中國原來沒有等同學問，而需要另外起一個新名字。中國重視思想，重視生活體驗出來的學問。先秦諸子，沒有專門做學問的人，而是各有職業。他們都是從其職業角度考慮人生。他們的學問，都是可以應用於人生的學問。西方人認為中國思想不夠嚴謹，難以稱為哲學。殊不知正因為其鬆動，較為合於人生實態。（西方人也認為中國宗教－道教，不夠嚴謹，難以稱為宗教。其道理相同。長生不老的期盼，本是人生實態。如果可以長生不老，誰

要講究死後世界呢）

哲學與政治

　　東西方的生活哲學，都是教導人類如何活著的哲學，而以儒家與基督教最為重要。（宗教自然是一種最為高明－善於包裝的哲學）這兩種哲學有相似的地方。一，強調倫理學：儒家講仁，基督教講愛。二，在仁與愛的教誨下，都要求人類弱勢的（謙虛）生活著，而非強勢的（隨性）生活著。這種共通性，使人懷疑它們的背後，是不是有更高層次的政治想法。

　　人類歷史上，有一個通則，即是受到重視的生活哲學，必是主流、官方推廣的生活哲學。也即是說，該哲學必須有利於政治運作。政治運作，有管理者與被管理者兩造。管理者的哲學，不需要人教導；只要登上權力大位，自然明曉。（如前所述，政治人物沒有不深諳韓非子與馬其維利的）而被管理者人數眾多，良莠不齊；最好的辦法，就是教導他們一種哲學，謙遜而合群的活著。因此，所謂生活哲學，不是給執政者遵循的，而是給人民遵循的。目的，在於容易統治，容易管理。這種順民的哲學，最好以教育方式（儒家）或者以宗教方式（基督教）普及之，而將政治謀略隱藏於後。

　　所謂順民的哲學，顯然都是集體主義哲學，絕非個人主義哲學。因為個人主義，無論是積極的還是消極的，都不合於社會的統一模式－所謂異端，就是突顯自己，不能融入集體之中的意思。個人主義與集體主義相對，如果大多數人都強調個人主義，社會難以統合，難以

駕馭。這個道理極為明顯。凡強調個人主義的哲學－例如中國的莊子與希臘的伊比鳩魯，永遠不可能成為官式主流思想；原因即在不合統治者口味與需要。

個人主義與集體主義

動物可以分為獨居與群居兩類。獨居動物，是絕對的個人主義；群居動物，是相對的集體主義。這種作法，還是生存哲學，而非生活哲學。因為，它們都與現實的吃東西、交配有關，而不是空想出來的，應該如何生活。

人類在早期，也屬於相對的集體主義。一個家庭共處一起，的確比單打獨鬥容易生存。（特別是人類無爪牙、皮毛這件事）但是，其個人主義還是比現代人類成分居多。從原始民族團體可以看見：他們如果落單，還是可以生存下去；他們對於生命之必要問題，都可以獨自解決；他們對於單純生存這件事，比現代人類強悍很多。反觀現代人類，因為長時間處於大型社會中，分工導致的專業（職業）問題，使得現代人類面對生命之必要問題，多不能獨自解決。今日，人類單獨處於自然之中，可以說是手足無措；人類已經成為必須分工合作的動物。不是能力問題，而是社會制度使然。

人類因為群居團體的擴大。（由家庭、家族、部落、國家）生存的問題大都解決。如何生存不是問題，如何生活，變成哲學的主要思考對象。個人主義與集體主義，變成可以選擇的意識形態。以人類的能力而言，這幾千年間，並沒有全力的讓人類品質提升，而是不停在

意識形態中打轉。無論套在任何政治語彙下，基本上人類的生活哲學，就是集體主義與個人主義之爭。這個問題，自從人類有社會團體之後，便已經存在，爭論不休。這個爭論，讓人類品質提升問題，長時間停滯不前。

人類社會的出現，就是體會到團結力量大；農牧形態，逼使人類不能不營集體生活。集體主義，也是人類歷史上的哲學主流。但是自從文藝復興開始，科學讓財富累積，而出現了資本主義。資本主義以金錢衡量價值，凡是有錢者，即可以過著超人一等的生活。加上資本主義與民主制度的配合，天賦人權與自由平等高唱入雲，個人主義有了高度發展。這幾百年的個人力量發展，在歷史上是不存在的。這種發展的起始，是以科學力量對抗宗教控制；結果是，宗教式的集體主義被打倒，強調金錢的個人主義興焉。

經濟因素，本是改變社會的基本因素。科學不能取代經濟，（特別是高等科學，必須依賴經濟而存在）但是看起來，它漸漸突出於經濟。唯有與科學相關的經濟，才是掌握未來世界的經濟。這種情況下，哲學發生了質變。

個人主義與集體主義，並沒有什麼優劣。個人主義傾向於自然－傾向動物的先天原始本能。集體主義傾向於不自然－傾向人類的後天社會特質。在政府而言，當然希望人民遵守社會規範，不要肆無忌憚的發揮原始本能。但是，個人主義，又是人類文明文化進步的一個重大原因。所有創造性強的工作，都必須由個人主義者完成之。這一點，尤其在學術與藝術上，最為顯著。真正的科學家與藝術家，都是

個人主義者。他們必須在沒有社會框架（包括制度與思想）下，隨心所欲的表現自己才華。當社會框架與表現自我衝突時，凡妥協者，臣服於政治與經濟者，都不可能完成其獨特的發明及創造，而成為一種「御用」性質人物。這種人物，不會在學術與藝術上有大成就；因為，學術與藝術，需要充分的發揮自我，而難以與人合作。有時候，其個人色彩太過濃烈，予人不合群甚至怪異的形象。這些有特殊才華，需要極度個人空間的人物，是社會的精華，佔社會人口的極少數比例。這些有創造性的人物，可以說是需要社會特別保護的人物；雖然社會並沒有特別保護他們，而多施以冷落與嘲笑。相當多的這種人物，都是在去世後，才受到承認與重視。

比例，是一個相當重要的問題。學術與藝術家，雖然是文明文化的瑰寶，但是他們的不合作與不合群，是一種反社會行為。這種行為在他們身上，可以視為特立獨行；如果社會人口的比例上，充滿特立獨行人物；或者，特立獨行成為一種主流哲學，社會難以運作，甚至難以存在。學術與藝術家，有他們自己的生活哲學。（靠著特殊才華生活）這種哲學，若是普及全社會，則是社會的大災難。那是一個無政府（anarchism）的狀態。

政治，這種管理社會的事情，不可能不講集體主義。其方法有二：一是赤裸裸的講集體，是為集權主義。一是包裝過的講集體，是為民主主義。

科學潮流與哲學路線

　　無論個人主義還是集體主義，都是因為經濟需要而產生的。也即是說，客觀影響主觀，存在決定意識。在生物界，凡是獨居動物，大多是爪牙發達的肉食類，例如老虎、熊、豹等等。凡是群居動物，大多是爪牙不發達的草食類，例如馬、牛、羊等等。如若爪牙發達而群居，那是因為與被獵食者之間的體型問題。例如：獅群居，獵食斑馬。狼群居，獵食麋鹿。無論如何，群居與否，與食物的獲得息息相關。動物的獵食問題，即是人類的經濟問題。

　　人類由家庭而社會，群居的範圍擴大，是因為農牧業的興起，需要較多人手一起生產。在群居的集體生活中，去講個人主義，是不存在於動物世界中的。如果群居動物講個人主義，只會導致個體（因為難以覓食、交配）而死亡。人類是群居動物，但是始終有個人主義哲學的存在。尤其是文藝復興以來，自由、民主、人權被過度提倡之後。

　　工業革命，因為機器的出現，資本累積導致經濟上的不平等，（群體之間的食物分配不平等）出現了社會主義，與資本主義相抗衡，以救不平等之偏。資本主義常常伴隨著民主制度，社會主義常常伴隨著集權制度。兩種制度的不同，在於經濟上的處理方式不同。核心問題是：機器造成的大量資源，集中於少數人之手，還是平均分配予眾人。

　　今日的問題，與產業革命時候，有一樣的部分，也有很不一樣的部分。產業革命時候，人受制於機器，因為機器操縱在少數資本家手中。大多數的人，根本無力與資本家競爭。現今的情況，是機器進化為電子設備。這些電子設備，在大量生產之下，一般大眾也可以輕易獲得。每個人不會都成了資本家，但是，每個人都擁有了機器。因為科學的進展，現今的機器，遠遠不同於產業革命時候的機器。現今的機器，可以通過網路獲得知識。舊的社會資源分配問題，仍舊存在；新的問題是，每一個人都透過機器擁有知識。每一個人都成了原始部落的小巫師。當這些小巫師越來越聰明，並且數量眾多的時候，他們不肯聽大巫師的話。這個事情如何解決，又回到了那個兩造的爭執：資本主義與社會主義，與其伴隨著的民主制度與集權制度。

　　過去時代，是一個金錢的爭奪時代。未來時代，是一個科學的爭奪時代。科學本來是政府不肯放出的能力。（掌握酋長手中，以及與之相互配合的巫師手中）但是，在資本主義講究生產與消費的情況下，科學已經落入普羅大眾手裡。當普羅大眾有了鬥爭武器，又受到自由、民主、人權哲學的薰陶。有鬥爭武器（科學）的個人主義，不再是以往的個人主義。不再是紙上談兵、公車上書、秀才革命的個人主義。一種新的弔詭個人主義出現－集團性的個人主義，或者個人主義的集團，應時出現。一大堆個人主義者，會聚集成一個團體，會形成一種力量。

　　自由、民主、人權在過往，都是一種哲學；一種知識分子式的言論自由。現今，因為科學的介入，這些哲學，將印入擁有機器的一般人腦裡，並且，以之對抗任何不合己意的政治理念。民主政治只是一

種表面和諧的鬥爭假相。有科學力量的普羅大眾，將更為誇張的以自由、民主、人權做為口號。在完全不需要理解自由、民主、人權的哲學意涵下，打擊既有民主體制。所謂的亂象，就是盲動而有力量的大多數人，掌握或影響政治行為。當個人主義盛行，而不遵守集體共識的時候，民主制度的根基便動搖了。當人民作主這句話，真正落實的時候，社會便是一盤散沙，便是無政府主義出現的時候。

　　人民作主，是民主制度的理想要求。但是這是一句標語，而不可以實際實現。其關鍵，就在於代議士在中間，可以做各種操控。當人民真正有鬥爭武器，以個人主義作教條，要求做主；民主制度的集體主義部分－選舉（個人須接受選舉後的集體意識）就遭到破壞。當民主制度中，完全沒有集體主義的時候，民主政治就變成暴民政治。人民什麼時候變成了不守法紀的暴民呢？古代，常常是因為飢饉造成的不得已狀態。現代，暴民的出現，只是為了實踐模模糊糊的自由、民主、人權口號。現代暴民比較有理想嗎？不是，是因為他們手中有了科學。知識就是力量，這句話是不錯的。但是科學，更是赤裸裸的力量。

　　因為科學的普及化，使得個人擁有前所未有的力量。人民可以輕易的以手中科學，不服從、不認同民主制度的核心－選舉，以及選舉所表示的集體意識。民主政府，會容忍無政府狀態、暴民狀態、或者否定選舉結果的不理性狀態嗎？民主政府不能容忍這些；但是在其制度中，沒有應付這些狀態的工具。因為，民主制度實行之初，人民是弱者，是受控於機器的弱者。他們必須藉由選舉代議士，融入這個制度之中。一旦，人民擁有科學而不再是弱者時，政府如何處理手中有

科學，口中有自由、人權，但是不肯融入民主制度的人民，是一個高難度問題。

自古以來，應付無政府主義、暴民主義，政府只有一個手段，便是鎮壓。因為如果不鎮壓，政府與社會秩序就要解體。現代政府可以鎮壓人民嗎？不可以的。一個鎮壓人民的政府，就不是一個民主政府。那麼，面對腦中有哲學（個人主義）手中有機器（科學技術）的大量人民，政府如何處理呢？

空想性的哲學或者政治理念，在這裡都沒有用處了。政府必須依據現實，想出可以實際管理社會的辦法。政府真正面對了存在的問題。基本上，民主政府只有兩個辦法：一，改弦更張，實施集權主義，加強社會控制。二，與科學妥協，由大型科技公司擁有權力，以科學控制社會；特別是先進武器與技術的科學。

人民因為科學，而更加個人主義，政府因為控制，而更加集體主義。科學不會停止，人民的個人主義傾向會愈來愈激化。控制力必須維持，政府的集體主義傾向會越來越強大。人民的個人主義，是因為科學而自然強化的；政府的集體主義，是因為無法控制個人而被迫施行的。民主制度，絕對不是人類的終極制度。因為，科學是民主的最大敵人。

至於說，這樣的社會可以維持平衡麼，政府與人民之間的衝突，會因為哲學不同而更加分裂與鬥爭麼。那種可怕的情況，或許可以避免。那就是，政治越來愈嚴謹，經濟越來愈寬鬆。政府利用科學，加

快速度的改善人民生活；在越來越富裕的經濟環境中，讓人民忘記嚴苛的政治管束。

　　科學，有利於集體主義的社會控制。（科技與機器人，必然是往後政府的控制利器）但是科學的普及，有利於個人主義的發展。（人民會以科學思維思考時，必然強化個人的意識與意志）當政府與人民，都因為科學而獲得強大力量的時候，政府的哲學與人民的哲學，將走上兩極的不歸路。

分述三　漫視政治

動物的情況

動物世界中，沒有民主的活動。大部分群居動物，都是施行極權制。群居動物的階級森嚴，一個領袖帶領部分強者，控制大部分弱者，或者免勉強稱為集權制。那種集權制與人類的集權制，還是有差別。領袖的獨霸行為，背後有進化的動機。因為體能特別強大的領袖，可以有更多的交配權，而把牠的優勢基因，傳播與後代。

螞蟻與蜜蜂，是群居動物的特例。牠們群體內之個體，數量眾多，領袖不能一一展現體能優勢，而使子民臣服。因此，演化給了牠們一種極為特殊的選擇，就是在幼蟲孵化階段，絕大部分幼蟲的性器官消失。沒有荷爾蒙的刺激下，牠們不會反抗，沒有爭奪領導權的問題。因此，螞蟻蜜蜂總是給人互助合作的形象。殊不知在其背後，除了領袖與少數公蟻公蜂，（組成一個統治家庭外）大多數子民，是被自然設計為不知爭奪的次等螞蟻，次等蜜蜂。牠們的世界裡，階級不是靠強勢者打下天下，而是自然演化的結果。牠們的世界裡，沒有階級鬥爭。各自的階級在出生之時，就被設定。因此，拿螞蟻蜜蜂社會

與人類社會相比較，沒有任何意義。

　　人類的各種政治制度，都源於經濟分配。經濟所獲的多寡，就是人類社會階級的區分。政治制度的核心是經濟分配；也可以說是階級劃分。人類本來經營小群體生活。自從新石器時代開始，部落形態，促使了中型社會出現；國家型態，促使了大型社會出現。階級問題在這些社會中，因為經濟上的分配，更為明顯。人類的所有個體，都是荷爾蒙正常的個體。人類的所有個體，都會為了獲得更高階級，獲得更多資源而奮鬥。集權主義，是壓抑這種荷爾蒙衝動的治理方法。它可以說，接近動物界的管理辦法。民主主義，是適度釋放荷爾蒙衝動的治理辦法。它在自然界沒有類似的設計。這種設計，是純粹人為的設計；它的優劣，要靠時間決定。人類到底要合乎自然一些，還是要顯示人之所以為人的特色，要靠時間決定。不過，民主主義或者民主制度，在人類歷史上，只實行了很短的時間。人類最終如何制定制度，遵從而生活之，還是未定之數。

民主的特質

　　民主來源於希臘，是希臘一部分城邦的政治體制。（以雅典為代表）很多人忘記了，施行民主的雅典，最後為施行集權的斯巴達打敗。而且其制度，已經長時間地，消失在歷史長流之中。

　　民主在這幾百年來，成為政治體制的主流之一，並且成為國家與國家相互攻擊的重大理由。（是否施行民主，已經與是否信仰宗教一般，成為意識形態）民主從政治名辭，變成了道德名辭。這次的流

行，始於啟蒙運動。

民主的問題，在於如果它落實施行，則進入多數控制少數的模式。這種模式不合於生物法則。因為生物群體中，優秀者絕對少於不優秀者。多數不優秀者的意見，絕對不會是最好的意見；絕對不會導致最好的結果。放任多數選擇，不是生物演化的方式。

人的優秀與否，表現在生理與智力上。生理上的優秀與否，不牽涉政治問題；但是智力上的優秀與否，大大影響政治運作與政治決策。理論上，真正落實民主，就是放任大多數人的選擇，那種選擇不會導致人類的進步，而是退步－所謂稀釋智力。演化是一種突變，由少數個體的優秀選擇，將物種推至更適合生存的境界。演化的過程中，必然有淘汰的問題。淘汰不優秀的，保留優秀的。如果人類的發展，操縱在多數不優秀的人手中，那是一種反淘汰的過程。最後，這個物種將因為反淘汰，而自然消失。

幸而，上述說法，只是一種理論性假設。因為，民主的理論，建立在平等的觀念之上；而人類社會一如動物社會，從來不具平等性。民主從來不曾落實－民主只是一種假相與糖衣，（讓大多數人民，因為參與而開心）民主制度從始至終，都是受操縱的－為少數社會菁英操縱。少數菁英們，透過感性的激情與理性的辯論，對多數人民「動之以情，說之以理，誘之以利」。真理不是越辯越明，而是掌握在會辯論者手中。因此，民主被掌握在懂得利用激情與理性的菁英手中－會表演的，具有「文」之特質的菁英手中。

人類的文化，因為地理隔閡而不同。然而不同文化中的優秀者，智

慧沒有很大差異。（受到人類智商制約）中國的老子，有「聖人不仁，以萬物為芻狗」說法。這種說法，在封建朝代的中國，只是一種哲學名辭；在西方民主社會，則被包裝又包裝，玩弄到無以復加。

菁英控制社會，倒是不違反生物性－不違反優勝劣敗法則。看來民主的實際（非理論）運作，還是會讓人類因為少數主導，而步向進步之路。可是，既然社會還是由少數主導，為什麼又要用民主這個名辭呢？為什麼要讓大多數人誤會，以為他們真正能夠作主呢？也許這就是文化，就是高級猴子的把戲罷。生物史觀－文質理論置於民主制度上，再明顯不過。

說到極致，文質即是狡詐與有力。狡詐，不過就是一個欺騙罷了。

莊子說「大惑者，終身不解」。他的說法，有相當的文化高度。

二十世紀，出現民主與社會兩個大集團。他們因為政治主張不同，而相互對立。事實上，民主主義是政治制度，社會主義是經濟制度；放在一起比較或者對立，牛頭不對馬嘴。民主制度的相反，是集權制度。兩種政治制度的比較，才有意義。兩大對立集團的存在，才有意義。

民主制度，是讓人民參與，重視（或者說美化）過程的制度。其結果，仍然是少數菁英擁有實權，參與決策。（委員會、議會、議院等等）也可以說，民主制度，是提供平等假相的包裝集權制度。兩種制度的真正不同，在於執政者願不願意，在過程上，討好人民。討好，則少受非議，但是效率緩慢。不討好，則多受非議，但是效率快

速。（前者，可能執行一種少受非議的，不好政策；後者，可能執行一種多受非議的，好政策）

在少數菁英擁有實權的共同基礎上，民主與集權，並不是政治上相對的團體，而是哲學上（也就是意識形態）不同的團體。一邊的執政者，重視包裝，（文）重視道德，要做好人。一邊的執政者，不重視包裝，（質）重視科學，不在乎做好人。民主政治是非常具有戲劇性、非常有人類文化特質的體制。（動物沒有民主制度，因為動物在統治上不「文」，只會以「質」統治之）這種體制在 2500 年前曇花一現；十七世紀被理論化後，施行在今日世界的大部分區域。問題是，這種制度在未來會繼續下去麼？

任何制度，都沒有好壞問題，只有實際與否問題。換言之，制度是配合社會發展的；不同的社會，有不同的制度因應之。民主制度的流行，是配合資本主義的興起。（莫忘記，民主與集權相對，資本主義與社會主義相對）資本主義是資源（錢）由社會少數控制的制度，也是經濟上不平等的制度。在求偶與覓食的最高生物原則下，這種制度導致社會的覓食行為極度不平衡。而覓食的不平衡（有的人吃的多，有的人吃的少；有的人錢多，有的人錢少）是一如動物般，最易引發鬥爭動亂的禍因。民主制度的提出，無疑是對資本主義的救火行為－以政治上的平等，緩和經濟上的不平等。民主政治並沒有解決經濟不平等；它只是提供了一個政治平等的假相，緩和了經濟不平等的民怨。未來的世界，經濟民怨，不容易以民主假相解決。因為科學的力量越來越強大，人民的力量越來越強大；科學是民主的最大敵人。這個問題，對於民主社會而言，其影響大過集權社會。民主的基礎是

自由平等觀念，以及個人主義。當個人主義受到科學的大力加持以後，會形成一種超級個人主義。超級個人主義不能見容於集權社會，同樣的，它也是毀壞民主制度的鐵鎚。

人民的力量－手機與網路舉例

民主政體與資本主義的關係，是一種以政治遷就經濟的關係。在科學沒有那麼強大的時候，（機器時代，而非電子時代）民主政治是化解經濟緊張的良藥。沒有錢的老百姓，把手中的一張「神聖選票」，視為對抗菁英的法寶。

事實上，他們誰也不能對抗。社會菁英是一種階級，這種階級在民主制度中，是政治家與資本家的結合。

但是，當科學益發強大時候，選票不再是唯一的對抗選項了。如果，通過手機（cell phone）聯結網路，（internet）就可以一天內聚眾三萬人，（無論三萬實體人，還是三萬虛擬人）為什麼要等四年去投那「神聖選票」呢？三萬人的直接抗議，不是更有政治效果，更有直接民意；或者，更有抒發怨氣的作用麼？當聚眾抗議成為特效藥時候，就是民主的基本機制－投票選舉瓦解的時候。（無論這種抗議在選舉之前，還是在選舉之後）民主政治的開放，只是為了緩解資本主義的壓力。當壓力（藉著科學）而有更多出口的時候，投票選舉形同具文。所謂科學是民主最大的敵人，是指人民因為科學，而更為強大－更有自主性。（即是所謂超級個人主義）

聚眾抗議，絕對不是民主的常態。當科學允許它成為有效常態

時，民主何去何從？當聚眾抗議從理性發展到非理性時，民主何去何從？聚眾抗議就是小規模的革命；事實上，革命不分大小；革命是一種動作，一種拒絕協調的動作。當老百姓因為科學，而得以拒絕協調的時候，民主何去何從？從舊石器時代開始，人類就對於投擲（遠距離控制）有極大興趣；人類的武器發展，是本著這種方向而向前的。人類的通訊能力，也是本著這種方向而向前的。當科學允許人民輕易可以獲致通訊能力以及科學武器的時候，當聚眾者不再抗議，而開始攻擊的時候，民主何去何從？屆時，民主鬥士、異議份子、恐怖份子的定義，將要模糊。

　　上面說法，不過以手機與網路舉例。未來，不止是網路問題，更不是一支手機問題；然而，一支手機，就讓人民有了政治上的其他選項。民主政治是兩造政治，人民是一邊，政府是一邊。民主政治是一種遷就政治，當人民不再受約束的時候，兩造的遷就也就沒有必要了。當政府不願意遷就的時候，民主制度將完全解體。

　　民主政治的兩造（政府與人民）間，願意妥協、遷就，還是不願意妥協、遷就，完全取決於科學發展。人民擁有一支手機，利用網路，就獲得那麼大的集結力量；何況還有千萬種其他的科學發明，可以利用。同樣的。政府永遠有比民眾更為強大的科學資源。當政府不再釋出科技給民間的時候，政府就體會到知識即是力量了。科學上的落差，就是文明世代的落差；像是人類遇到猴子的落差。當政府不再釋出科技給民間的時候，就是政府不再妥協、遷就的時候。沒有高文明的人和低文明的人講民主；正如沒有人和一群動物講民主。高文明與低文明之間，不叫做衝突，叫作征服。當政府可以輕易以科學征服

人民的時候，民主政治自然消失。

民主政治是妥協政治。當一方具有壓倒性力量，而無須妥協時候，民主不會出現。就如同地理大發現後，西方拿著槍砲，征服全世界。西方從來沒有跟其他地區講民主，西方只是建立了很多壓榨剝削其他地區的殖民地。（colony）

政府與民間，永遠是對立的。這個現象，從新石器世代人類群居開始，便已產生。雄性荷爾蒙，導致人類的群居方式，不可能和平相處。群居的動物中，有特殊份子擁有特殊權力，必然引起騷動與暴亂。動物以體型與力量，阻止這種騷動與暴亂。人類以法律、道德、宗教，阻止這種騷動與暴亂。民主政治，根本是法律、道德、宗教的綜合體：一人一票即是法律，人人平等即是道德，天賦人權即是宗教。民主政治，只是接續法律、道德、宗教之後，另外一種阻止雄性荷爾蒙騷動與暴亂的新辦法。隨著道德與宗教的式微；隨著科學的無止境發展，導致人民不願意遵守（為民主社會制定的）法律；民主這個人類的發明，怕是來日無多。

人類的社會，還要繼續前行。人類的科學，還要繼續發展。在科學與民主相對立的時代，必須遷就科學的實況，而調整社會形態。（包括哲學上的意識形態）社會要維持完整，文化要維持運作，一種不同於現今主流思想的新哲學一定出現。那種新哲學的重點，會對民主與集權體制，予以新定義與新詮釋。

藝術反映社會，其中，二十世紀開始的第八藝術－電影，更是最貼近社會的反映。（電影以文學為文本，綜合了戲劇、音樂、舞蹈等

等藝術項目）今日，關注未來世界的電影，在電影總產量中，占有相當比例。在那麼多的科幻電影中，如果注意，會發現那些電影的場景－社會背景，完全沒有民主主義地位；幾乎清一色是集權（極權）甚至軍國主義社會。這是一個非常值得玩味的現象。其道理也相當簡單：在科學那樣無限制發達，個人那樣擁有科學的時代；個人是不遵守法律的，而民主政府是管不住不守法律（但是擁有科學的）人的。因此，政府必須不是民主政府，（無論集權、極權、軍國、獨裁）並且掌握更高層次的（絕不釋放至民間的）科學技術。藝術家最有想像力，但是他們不能想像，當科學極度發達時，民主與科學如何相處。他們想不出那種場景，他們編不出那種劇本。

神秘的科技公司

在未來世界，資本家不再是基本民生產品的供應者－其產品伴隨著高科技，足以改變社會形態。什麼東西可以改變社會形態呢，今日可見的是網路；（手機不過是可以隨身攜帶的網路工具），未來可見的是機器人與基因工程。這些產品是可以提高人民力量（人類做為一種物種的生物能力）的產品。當資本家感覺到，他們與人民力量結合的那樣緊密，並且可以控制人民的時候。他們會對政府存在的必要性，產生疑惑。當高科技產品普及民間的之時，他們才是人民的實際操控者。與人民關係最密切的，不是政府，而是高科技公司產品。政府可以做到的事情，資本家也可以做到，那又為什麼需要一個高高在上，收取稅金的機構存在呢。這種想法，會導致社會形態的大變革。

這種現象，並不是資本家的一廂情願，而是政府推波助瀾。當政

府把大量權利下放給高科技公司，並且讓他們處理與人民相關的高科技業務時，科技公司起了中間委託人的作用。這種作用，讓科技公司成了人民的實際管理者。政府的原意，或者是讓中間委託人負一些政治風險。但是，承擔風險的人，也就是可以左右風險的人。科技公司的政治地位提高，是必然的事情。

在國家立場而言，人民是一切。高科技提高人民的自主性，資本家提供人民高科技。利益關係緊密的是資本家與人民。未來世界裡，隨著人民大量擁有科技，必與政府對立日趨尖銳。（今日各種民主運動、抗議行為，在沒有科技加持下，是不可能發生的）資本家因為擁有高科技，夾在政府與人民之間，成為關鍵角色。一則，工業家因為大量的、廉價的出賣科學，擁有難以想像資金。當資金到一定程度，（所謂富可敵國，並非虛語）科技達到一定程度，工業家可以反過來，有效地威脅政府時候，政府這種組織便將解體。屆時，世界將由不同的高科技資本家（與其建立的科技公司）控制；透過各種科學設備監管人民。原先政府的各個部門部會，以及大大小小行政工作，都將由科技取代。整個政府的運作，可以濃縮在一部電腦之中，而交由機器執行。高科技資本家，既是社會的供應者，又是社會的管理者。

這種因為擁有科技，進而擁有政治的情況，即將出現。因為，科學研究不過是資金（研究經費）累積所致。政府可以研究科學，科技公司也可以研究科學。研究經費的高下差異，與研究成果的有效使用，使一流科學家紛紛投向科技公司，而離開政府。科技公司，才是真正科學掌握者，政府終將受制。

　　這種看似出於民間的公司形態組織，不可能是民主體制。因為科學控制，比政治控制簡單。民主政治是妥協政治，當科技控制一切時候，不需要妥協－尤其不需要妥協於人民。（公司與人民的差異，除了財富的差異，更是文明的差異）中國古代的牧民思想，將因為科技公司的強大，而成為事實。公司是牧者，人民是牲口。那只可能是一種專制體制－無論個人極權，或者公司董事會集權。（屆時，商業性質的高科技公司董事會，就要改名為政治性質的政府委員會了）

　　中國牧民思想，儒家道家都包含之。行之於文字者，當以《管子》最為清晰。《管子》的第一篇，就是〈牧民篇〉。

　　當然，政府也可能在公司尚未接管社會之先，採取行動，不讓高端科技流入民間，例如嚴控專利權。那麼，科學除了導致人民與政府的對抗，也將導致政府與資本家的對抗了。這個動作，會引起公司與政府間的大矛盾。當然，當公司科技超過國家科技時候，上述動作也毫無意義。不過，在實力尚在相當階段，政府還是有兩個方法，對付資本家。第一，以法律解散公司。然而法律的制定，有太多因素可以操縱，其中最重要的就是金錢。民主政治，就是經過選舉建立立法單位，而制定各種法律的政治。如果立法單位可以金錢操縱，立法單位就為科技工業團體所操縱。解散公司的法律，不可能成立。第二，政府可以軍事突襲式的，武力解散公司。那種衝突，就是徹底毀滅民主社會的行為了。並且，在高科技的時代，那場突襲以什麼方式收場，是不一定的。它很可能是政府所能夠發動的最後一場戰爭。

　　在未來的政治運作上，民主國家遭遇的問題很大。因為科學與個人主義，導致政府、資本家與人民的三方面對立。集權國家，則相對

問題少一些，因為政府與資本家是一回事，其間的矛盾，也容易以統一的政策化解之。

　　集權主義與民主主義，最初不過是哲學名詞。經過政治的操弄，成為勢同水火的對抗團體。事實上，民主政治的最後決策，也有集權思想。集權政治的最後決策，也有民主思想。個人主義與科技泛濫，將會造成不可避免的社會變動；生命會找尋出路，客觀事實決定主觀認知；也許集權與民主兩造的異同與融合問題，是可以深思的時候了。

分述四　　漫視經濟

定義的釐清

二十世紀的冷戰－民主主義國家與社會主義國家的對抗，在名稱上就有很大錯誤。民主主義是政治制度，社會主義是經濟制度，二者不能比較。正確的說：是民主政治與集權政治相對，資本主義與社會主義相對。

資本主義與社會主義，是經濟學名辭，是社會財富分配的兩種方式。其中關鍵之一，便是商人與商人的地位。前者認為社會財富應通過自由市場，由相對少數的資本家擁有。後者認為社會財富應通過計畫市場，由相對多數的人民分配。

從公平、平等角度來看：資本主義是不公平的，是任由商人弱肉強食的經濟主義。社會主義是公平的，是抑制社會弱肉強食行為的經濟主義。因此，社會主義國家，是經濟上接受了伏爾泰與盧梭，但是政治上沒有接受。資本主義國家，是政治上接受了伏爾泰與盧梭，但是經濟上沒有接受。

這兩種主義，或者說兩種潮流，都是談論社會經濟的運作問題。也就是研究物資（金錢）的管理與移動方式。這個問題，要從商人的角色與功能說起。

商人的興起與沒落

商人是一個名辭，交換是一個動詞。有意識、有制度的交換，出現於新石器時代－當農牧產量越來越多，多到滿足自己之外，還有剩餘；則交換行為開始。早期的交換，是隨機而偶然的。

舊石器時代的人類，未必沒有交換，但是那種交換，隨機而偶然。例如一隻兔子換一個蘋果，各取所需，不牽涉到價值問題。以物易物的情況，至今仍在原始部落可以看見；以己之所有，交換己之所無，僅只是一種心理上的認同；只要兩造樂意便可。

當交換不是隨機而偶然的時候，錙銖必較（價值等同）的情形就會發生，現代觀念的商業因此出現。當交換兩造沒有直接出現，而委託第三者居間交換時，中人（broker）便躍上歷史舞台。這就是往後在人類社會中，扮演重要角色的商人。

在農牧社會中，商人（中人）初始一定沒有地位。他們不從事農牧業－或是缺乏相關知識，或是缺乏農牧資源（動植物資源，以及土地）。初始的中人或是服務行為，酬勞微薄。例如：交換一籃橘子，一籃蘋果，兩造各給一個水果作報酬。當這種服務性工作為時日久，裡面就有了操弄。例如：兩造收到水果時，已經各被中人拿出幾個，據為己有。

道德的出現，或者與偷竊、欺騙有關。寧可冠之以不道德，而不施之以法律，必然是其犯行難以掌握，而不得以法律處置之。偷竊與欺騙，是人類不法行為中，最難以掌握犯行者。自牧欄農場偷竊、自市場交易欺騙，是因為大量的農牧產品，引發人類貪慾所致。（追本溯源，物質充分以致過量，都是因為科學發達造成）

但是，當農牧產品的數量達到一定程度，農人牧人完全不能自行（交換）處理時候，商人的服務角色改變了；商人可以在交換之前，自行收購產品，形成大小盤商。這裡面，囤積居奇的手法，就出現了。（也可以說，商人角色的改變，與貨物數量有關－產量太小的貨物，不吸引商人從中剝削）不從事生產，只從事交換的行業，地位越來越重要，而有凌駕生產的趨勢。生產型經濟，逐漸被交換型經濟分去了一些市場。

交換是個動詞概念。市集上（面對面的）講價還價是交換；此方貨物運至（未曾謀面的）彼方也是交換。交換與交通有很大關係；沒有交通的地方，不容易交換；商業不容易產生。而交通又與科學有關。

經濟形態，因為商人的出現而有大變化。社會階級的分別，日益明顯。貨幣（currency）的出現，更是對於這種分別，起了推波助瀾作用。社會階級，基本上是由個人能力區分。凡有能力者，便可以躋身於社會金字塔上部。貨幣出現後，商人有了自己的身份，有了屬於自己的能力。商人因為買進賣出，而需要大量貨幣－商人的能力，就是賺錢，使自己成為有錢人。貨幣是一種中性的價值；它可以買得農牧工藝產品，也可以買得暴力與權力。貨幣很抽象，它不算是科學的

發明發現，但是有科學的邏輯與計算蘊涵其中。

資本主義就是強調交換，強調累積貨幣的主義。在這種主義下，商人地位達到頂點，讓政治人物都不得不對其折腰。民主政治是妥協政治。如果以為政治家與人民妥協，就大錯特錯了。政治家實際妥協的是商人。商人可以用各種辦法操縱民意：可以合法的對政府政治獻金，可以合法的收買社會菁英（知識分子）為其發聲－美其名曰代議士。民主政治就是商人政治。（無怪民主政治與資本主義，總是被放在一起）只要回頭看看古代的雅典，就知道商人與民主政治的關係。資本主義，必然需要民主政治配合－商人與政治家配合，上下（表裡）地控制社會。

中國古代有士農工商說法，那是一種職業分類，也是一種階級分類。這種古典的階級分類，在資本主義結合資本與機器之後，被打破了。甚至可以說，倒反過來了。社會是一個金字塔，上層的精英是士人時候，並不形成剝削者。（徒有名譽與地位，所謂清流）上層精英是商人時候，因為掌握金錢與社會運作，形成明顯的階級剝削。人民的基本生活，都操之於他們手中。中產階級的興起，並不表示剝削行為受到抑制。中產階級，只是較為文明的，較為維持尊嚴的，受到剝削。

自從新石器時代，生產經濟被交換經濟瓜分後，商人的權力日趨強大。但是，交換雖是經濟之必須，生產才是經濟之核心－雖然商人讓這個結構，看起來本末倒置。這個局面，自工業革命開始，有一些改變，影響至今。那就是，財富累積與機器製造（非手工製造）的結合，讓生產者不再是農人牧人（以及手工業者）而已，而是擁有機器

的工業家。在工業越來越大，越來越壟斷的情況下，大工業家的力量可以捨棄商人，而在自己的企業中設立商業部門；自己處理交換與貿易的部分。這種趨勢，使得傳統商人（貿易商）的空間受到排擠。二十世紀隨處可見的貿易行，（trade company）今日已大量減少，可以說明商人地位的變化。今日擁有最大資本的不是商人，而是回歸到製造者－擁有機器的製造者身上。商業不會消失，但是，商人可能消失。而由工業家取代。在古代中國士農工商的階級中。工（製造業）的地位，有驚人變化。

在高度科學化的社會中，科學對於小規模生產（包括文化商品）而言，也是行銷的利器。當每個小生產者，依靠著科技，也可以扮演起商人角色時侯，傳統商人（貿易商）的剩餘地盤，更加受到壓縮。

商人（被視為）與有錢人同義，是極大的錯誤。事實上，任何人都可能有錢。商人的最大特徵，是沒有生產，只是透過交換過程而獲利。其他的行業，都可能因為透過生產而有錢，包括最無形的知識生產。離開各種生產而獲利，是非常空洞的事情。任何生產都有可替代性與不可替代性。商人，是絕對具有可替代性的行業。

兩種不同的分配模式

資本主義與社會主義，都是經濟的分配主義。資本主義的最大原則，即是放任工廠於資本家手中。資本家雖然控制機器，但是透過商品的產值，政府可以收取大量稅金。可以說，政府讓資本家去替政府賺錢，政府坐享其成－抽稅。這種模式對於人民的交代，則是高工資

與高消費。資本家在衡量高工資與高稅率的情況下，為求有利可圖，只有提高生產量，刺激消費，賺取更多的錢。人民在高工資的導引下，自然可以應付高消費。因此，高工資、高消費、高稅率，是資本主義的主軸理想。三者循環，人民、政府、資本家都可以從中獲得益處。其中獲益最大的還是政府，它不但向資本家課稅，也向人民課稅，還是最大贏家。資本家當然由於控制機器，而獲利豐厚。人民，則被裹挾在高工資與高消費中－改善是生活了，但是不容易累積個人財富。

社會主義，晚於資本主義。它可以說是矯正資本主義之偏，而興起的一種社會運動。當然，那個時代的背景，早已不存在。社會主義的著眼點，也是資本家與機器。它不像資本主義那樣，放任資本家與機器結合，而從中抽取成數。它為了大多數人民的經濟平等問題，而排除了資本家，由政府直接掌控生產機器。政府成了最大資本家，人民都是國家僱員；這種沒有中間人的社會，與資本主義正相反。其基本特徵是：低工資、低消費、低稅率。（或者不徵稅）政府的收入，不在於稅賦。因為政府就是社會的大老闆，它代替資本家經營各種製造。它不需要資本家替它賺錢，它自己就會賺錢。

這種制度的好處，是社會上的財富平均。然而，政府不以獲利為目的，（而以分配為目的）不能帶動整體經濟的發展。低工資、低消費，經濟必然趨於遲滯。雖然沒有稅率，人民多半僅能以溫飽為訴求，也不可能有儲蓄，不可能致富。加上為求表面公平，而有同酬不同工的問題，人民工作意願低落。社會主義國家的經濟遲滯，社會不活潑，是一種普遍現象，原因即是如此。今日世界，資本主義國家

多，社會主義國家少，原因即是如此。

酋長與巫師理論

在動物的世界中，獨居的動物，沒有分配問題。個體的溫飽，取決於個體的能力。群居的動物，則有兩種體制，一，是獨裁：群體聽命於領袖的經驗智慧。（奇妙的是，成為領袖，常常不是因為經驗智慧，而是因為體能）大多數的群居草食動物都是如此。二，還是獨裁：但是因為在食物鏈中的體形與數量問題，領袖必須與群體合作，共同獵食。大多數的群居肉食動物都是如此。（成為領袖的原因，仍然是體能）人類原始時期，屬於後者。然而，當新石器時代，農牧業興起。一種新的社會現象出現，那就是分工。觀察原始民族，即可以發現簡單的分工。（酋長、巫師、戰士、獵人、農人、牧人、陶匠、石匠等等）這種分工的細化與複雜化，就是後來所謂的職業或者行業。最影響經濟的核心行業，形成該社會的典型特徵－所謂農業社會，牧業社會等等。這些社會中，從事核心行業的人口，必定較多。酋長與巫師屬於統治階級，人數最少。他們是一種合作關係。原始社會中的巫師，是有樸素科學（自然科學以及心理學）的特殊人物。他們以迷信作為幌子，其實是以其樸素的科學知識，輔佐酋長統治社會。（也即是政教合一，以宗教強化政治統治）這是人類社會的奇特模式－政治領袖，必須要緊抓科學在自己身邊。

戰士則以科學衍生出來的力量－武器，輔佐酋長統治社會。領袖高高在上，藉由科學與其衍生力量，控制著經濟體，控制著參與經濟體的人民。

　　抓科學這件事，古今皆然。原始社會的酋長，必須掌握巫師，以為輔政；同樣道理，工業社會中，政府必須掌握科學機器，與其相關人員－資本家，以為輔政。酋長掌握巫師，即能控制人民－與人民所構成的經濟體。同樣的，政府掌握機器與資本家，即能控制人民－與人民所構成的經濟體。在這裏，科學只是工具，政治人物的真正目的，在於掌握經濟。人之所以異於禽獸，在於人類有知識。禽獸靠暴力控制，人類靠知識控制。

　　工業時代的資本主義，可以說，是放任巫師的時代－讓科學大量普及（商業化）於民間。擁有機器的資本家，與原始巫師的最大不同處，在於：他們不需要藉由宗教遮遮掩掩，而是直接以科學控制人民溫飽。資本主義，是酋長放下絕對權力，而與巫師共同治理社會（經濟體）的主義。

　　當然，酋長仍然是酋長，巫師仍然是巫師；因為酋長可沒有分權於戰士；戰士是酋長控制巫師的法寶。從《老子》的「國之利器不可以示人」，到毛澤東的「槍桿子出政權」，講的都是這件事情。

　　至於說社會主義，就沒有酋長與巫師共治的問題。酋長不但不放任巫師，並且向巫師奪權－自己掌握了科學、掌握了機器，成為了巫師。這樣的社會，未必是極權的社會，卻一定是集權的社會。因為中間少了巫師。政府可以如資本家般的，直接以科學控制社會，控制人民溫飽。

托拉斯與國家資本

社會的基石是物質，不是精神。經濟問題，才是國家發展的首要問題。現今社會，經濟與科技密不可分。科技產生的諸般現象，不分資本主義國家、社會主義國家，同時發生。社會主義或者資本主義出現之初，相對今日，世界還相當封閉。兩種主義，都以處理國內經濟問題為主。至於社會主義與資本主義席捲國際，成為世界國家的兩大壁壘，那絕對不是經濟問題，而是政治問題。兩種主義，成為了國家之間相互攻擊的口號。一個國家，怎麼會關心其他國家的民生問題呢。以國家立場而言，別的國家經濟理論不好，導致經濟不好，不是一件大大的好事麼。所謂口號，就是這個意思。除了相互攻奸，沒有什麼實質意義。

以為哪個主義較好，而推廣於全世界，讓全世界人民共享其利，是一個天大的政治煙幕彈。沒有任何國家，會刻意推廣一種有益於他國的經濟制度，而使他國與自己一樣好，那是違反國家利益，特別是國家戰略利益的事。

經濟，是實際收益的事，不是主義的事。今日，在全球化的趨勢下，國家與國家的來往日趨頻繁，經濟的互通有無，益發重要。拋開孰優孰劣的政治問題，誰能從國家經濟而世界經濟，賺更多的錢，才是實際問題。經濟由國家問題，轉變為國際問題，是每一個國家都要面對的。當國家與國家競爭，國家與國家以經濟相對抗的時候，必須有新的觀念，與新的應對方法。

　　科學工業，一如其他工業，其基本原則，就是希望商品數量越來越大，而價格越來越便宜。因此，才能獲得最大利益。然而在全球化的要求下，如何才能讓商品數量越來越大，而價格越來越便宜呢。那就牽涉到科技工業的規模大小了。越大的公司，可以讓商品數量越來越大，而價格越來越便宜。也就是托拉斯（trust）這種形態的巨型公司，會被重新認識。（或者，它將改一個名字，妥善的包裝起來）

　　托拉斯，（超級壟斷性公司）曾經是一個不好的名詞。社會主義視之如寇讎，資本主義也以法規限制它。然而，純粹就經濟而言，托拉斯卻是最有效率的公司。工業時代，托拉斯壟斷產品，科技時代，托拉斯壟斷科學。它會變得極為龐大，並且與人類生存問題息息相關。它所製造的商品，不同於工業時代的產品。不擁有科學產品的人，在如今社會中，幾乎無法謀生。科學產品，已經在工業產品中獨佔鰲頭。

　　為了在國際間競爭，（而非處理國內經濟）巨型科技公司的出現是必然的，因為它是最有效的賺錢工具。沒有這種賺錢工具，國家在國際間，會逐漸失去競爭力。在這個新問題上，社會主義與資本主義，似乎都有點過時了。未來，這兩種主義要互相學習。只是在學習與妥協的過程上，有難易的不同。

　　因為新的經濟問題，酋長與巫師的關係也必須調整。基本上，放任巫師（資本主義）與代替巫師（社會主義）的舊思維，需要重新思考，脫出框架。社會主義國家的經濟不行，是一個老問題。然而，可

驚異的是，當科學席捲一切，需要巨型托拉斯面對國際競爭的時候。社會主義卻在轉變與應對上，出奇靈活。它的作法，既符合舊有的理想色彩，又可以處理未來社會變化。中國有一句老話，叫做「心如平原走馬，易放難收」。嚴格的制度變得鬆動，相對容易。鬆動的制度，變得嚴格，相對不容易。民主制度是商人政治，強調的就是市場經濟；它轉變為計劃經濟，剝奪了資本家權利，極為困難。但是社會主義是集權政治，它放鬆資本家空間，轉為資本主義的制度，極為簡單。（只要政府一句話即可）

社會主義一旦發生轉變，也採取市場經濟，讓資本家出頭，成為巨型托拉斯，是活絡經濟的一大出路。也就是社主義國家的酋長，也開始把權力下放給巫師。但是，那樣不是任由資本家發展，變成資本主義，而失去社會主義的精神與特色了嗎。辦法也很簡單，就是政府挹注私人資本家，入股私人資本家的托拉斯。如此一來，社會主義汲取了資本主義的好處，讓資本家替政府做生意；也開始強調高工資、高消費、高稅率的經濟理論。（酋長與巫師間，產生「有條件」的共治關係）但是，資本家不能任意而為，必須在政府的統一調度之下，以國家利益為前提；以提高國際競爭力，獲取最大利益。這樣，社會主義的特色，亦能保持。並且，當社會發生大變動的時候，（戰爭、瘟疫、蕭條等等）因為統一指揮，將成為最有經濟效率的社會。放任巫師，同時又控制巫師，是社會主義的新方向。

二十世紀，是資本主義與社會主義對壘的時代。二十一世紀，社會主義有了改變，但是資本主義少有變化。社會主義是一種意識形態，資本主義同樣也是一種意識形態。要一個資本主義國家，向社會

主義國家學習控制資本,集中資本於國家,並且挹注資金給私人企業,是非常困難的事情。因為兩造國家在世界上的數量,有很大區別。因此,資本主義國家有一種優越感;覺得社會主義是落後的思想。這種情況下,如何讓「先進」學習「落後」,如何說服人民(而不能下命令)接受更為嚴格的經濟制度-這種說服過程,難以想像的艱鉅。但是,如果放任私人的科技托拉斯單打獨鬥,又不能在國際上具有競爭力。資本主義的私人托拉斯,哪有能力應付社會主義的國家托拉斯。無數小巫師,怎麼樣也對付不了一個法力高強的大巫師。資本主義向社會主義學習這件事,勢在必行。但是在體制與理論上,都很難運作,很難自圓其說。畢竟在自由民主的社會中,收緊經濟,與資本家力量對抗,是談何容易的事。已經放任了數百年的巫師,哪有可能那麼容易的受束縛,回歸酋長的掌控。

未來的世界中,經濟的基本問題,不是勞資問題,而是政府與資本家的問題。如何掌控巨型科技公司,與其科技,是政府的首要考慮。這種控制,不是出於理論,而是現實需要。控制國家資本與允許托拉斯存在,是一種極為微妙的矛盾統一。政治人物,必須在有效執政與意識形態上,做出選擇。社會主義國家,似乎已經在發展經濟,與掌控托拉斯之間,找到了可行之路。資本主義國家,反倒在這個關鍵點上,顯得有些窒礙難行。

簡言之,科學將會統合社會主義與資本主義。在科學的強大威力下,各種主義的優缺點,終將暴露。為求國際上的經濟競爭,政府對科學導致的客觀事實,必須做出讓步。

分述五　漫視戰爭

動物的鬥爭行為

把戰爭與鬥爭混為一談，是不正確的說法。動物間的鬥爭，是必然的生存方式。因為所有的動物，都活在食物鏈上；牠們要彼此相食，以為生命延續。這種鬥爭（相食）大多存在於不同物種之間；基本上，存在肉食動物與草食動物之間。例如：狼吃羊，虎吃鹿。這種情況，少存在於相同物種之間。如果發生在相同物種之間，人類就認為不可思議，而給牠們一個很不好的稱謂，叫做「卡南勃」（cannibalism）也就是同類相食。（「卡南勃」是筆者自己的中文翻譯）

生物的生存方式，在於食與色，（就是中國的「食色性也」或者「飲食男女，人之大欲存焉」）也就是，生物學講的求偶與覓食。動物的異物種間鬥爭，起於覓食要求。如果不覓食，動物就要短時間內死亡。動物也有同物種間的鬥爭，主要在求偶的時候發生。（當然，同物種間也會爭奪食物）雄性動物為了爭奪交配權，會大打出手，拼一個你強我弱。最後，強者可以交配，讓自己的強勢基因繁衍下去。

這種鬥爭，或者慘烈，卻很少有生死問題－多半以屈服對方為目的。鬥爭失敗的一方，也沒有什麼糾纏報復行為，能夠以服從自然規律為天職。這種鬥爭，也是必要。因為，物種的優良基因，若是不能傳遞下去，則物種（在長時間內）便會消亡。

如果認為鬥爭是一種惡，則動物的鬥爭之惡，存在於動物的生存法則中，存在於求偶與覓食行為中。不鬥爭，則無以生存。如果鬥爭是一種惡，則為了覓食與求偶而鬥爭，是合於生物法則的，是合於演化安排的。這種惡，才可以稱為「必要之惡」。（necessary evil）除了求偶與覓食之外，動物之間幾乎沒有什麼鬥爭，遑論戰爭了。

人類也有異種上的鬥爭。那種鬥爭，存在於人類是食物鏈一環的時候。那個時候，人類既獵食動物，也為動物所獵食。大約舊石器時代晚期，因為石器的製作熟練，加上弓箭的輔助；人類躍居食物鏈頂端，被動物獵食的情況減少。新石器時代開始豢養獸類，形成了自己的封閉性食物鏈，人類與動物的鬥爭，進入新階段；那種鬥爭（馴養起來，慢慢吃掉）相當和緩間接，動物完全沒有還手的能力。豢養與畜牧，可以說是人類與動物異種鬥爭的終結。（沒有條件互鬥，則難以稱為鬥爭）

人類的同種鬥爭

人類的同種鬥爭，也分求偶與覓食兩部分。求偶部分，在新石器時代有了新篇章。因為畜牧農耕，人類的新型社會－部落開始興起。如果每個人都因為交配權而鬥爭，則部落不能夠維持；部落酋長的領

導權，也時時受到挑戰。婚姻制度，便在此時登場。婚姻制度，是調和男性荷爾蒙，不使之隨意爆發的手段。婚姻制度，多少有一些分配的意思。人類的求偶鬥爭，因婚姻而得以舒緩。（當然身為酋長，或者可以分配的多一些）

然而，生物的演化設計，並不是一夫一妻。生物的演化原則，是「贏者全拿」，讓強勢基因得以繁衍，而淘汰弱勢基因。因此，人類社會中的男性，永遠不滿足婚姻給予的束縛。婚姻制度的發明，也許可以緩解荷爾蒙的衝動，卻不可能解決荷爾蒙的衝動。戰爭的原始動機之一，就是把不同部落的男性殺掉，把不同部落的女性據為己有。人類戰爭，看似具有覓食意義，實則有求偶企圖在其背後。

這樣說，並不表示輕忽了人類戰爭的覓食動機。覓食，才是生命存在的最高指導原則，沒有覓食，導致生命本身消失。（那就談不到繁衍了）原始民族的戰爭，除去掠奪女性以外，掠奪糧食牲口，也是主要目的。細緻的講，早期的人類鬥爭，覓食是顯性動機，求偶是隱性動機。

人類因為文明文化的進展，不再用覓食這個名詞，而用經濟這個名詞。因為經濟原因，而發動戰爭，是人類同種鬥爭的顯性動機。然而，人類是一種沒有安全感的動物。群體可能因為經濟而發動戰爭，也可能因為勢力範圍而發動戰爭。動物也有勢力範圍，但是那個範圍，是維持自己群體的食物而劃分的。人類早就超過溫飽階段，勢力範圍的意義，通常是不允許與自己一樣強大的群體出現。人類的勢力範圍，與缺乏安全感有關。人類可以說是，沒有和平相處意識的一種

動物；事實上，這個問題，並非因為天性，而是因為科學，因為武器的發展。人類殺死同種的力量越來越大，令人類終日惶恐其他群體對自己發起戰爭；故而群體間（和平）共處觀念薄弱。人類歷史上，和平只是戰爭的過渡期。武器的強大，讓人類時時警惕，可能被消滅。武器的進步，促使人類恐懼不安，也促使了人類戰爭的殘忍化。

因為特有的（科學武器）戰爭行為，人類把不同群體者大量殺死；人類是動物中，最「卡南勃」的物種，而不自知。當然，戰爭並沒有導致同類相食－把對手大量吃掉。也許可以稱為「準卡南勃」罷。人類是最殘忍的動物，宏觀而言，即是因為科學涉入鬥爭。人類的戰爭。是一種以科學武器互相殺戮的行為。

人類的戰爭理由

戰爭是一種荷爾蒙的釋放方式。荷爾蒙的作用，原本是為了鬥爭－爭取食物，或者爭取配偶。在一個群體中，個人荷爾蒙的多寡、強弱並不一致。因此發動戰爭，必須凝聚、激化荷爾蒙。這種激化的辦法，就是發動戰爭的各種理由；必須以有說服力的理由，讓群體的荷爾蒙一致化，才能同仇敵愾，達到戰爭目的－爭取勝利。人類的戰爭理由，五花八門。其中最容易統一賀爾蒙，產生敵對意識的，有以下幾種：道德、宗教、意識形態。

很多人以為，戰爭就是一種掠奪式的覓食行為。然而，在人類的社會中，掠奪不應該赤裸裸的作為鬥爭理由。因此，戰爭需要包裝，需要偽裝其動機。其中道德最為普遍。

　　道德就是行為標準。我對了，你錯了；是非對錯，乃凝聚荷爾蒙的好辦法。然而，誰對、誰錯；誰對不起誰，是很難講明白的事情。因此，道德常常只是一種藉口，一種避免師出無名的藉口。道德這種戰爭藉口，簡而言之，就是好人與壞人；善與惡的區分。我是好人，你是壞人；我代表善，你代表惡。所以，發動戰爭，把壞人、惡人打倒。道德藉口，是戰爭中奇妙的「被動」手段，表示發動戰爭，是迫不得已。發動戰爭者，常常以道德包裝自己的主動作為。從來沒有發動戰爭者，不以為自己是善的一方，是正義的一方。

　　道德是形而上的事情，它還可以發展成宗教。以宗教為名，發動戰爭，在歷史上可是司空見慣。在是非對錯的道理上，道德與宗教並沒有很大差異。但是宗教加上了神的旨意，加上了神的指導與助力。以神為名發動戰爭，可是厲害極了。因為所有戰爭的惡行，都有神作為後盾，而得以避免罪惡感。沒有罪惡感的戰爭，是非常無情的戰爭。對於殺死同種，沒有任何憐憫之心。不過，在文藝復興之後，宗教的力量大大衰減。如今世界上的主流國家，鮮少以宗教之名，發動戰爭。以宗教為藉口發動戰爭，多在知識較為不開發的區域，特別是遊牧民族傳統深厚的區域。

　　除了宗教之外，道德還可以發展成另外一種政治藉口，就是意識形態。意識形態，看似政治問題，其實道德氣味也是很重。它仍然是你錯我對的問題，仍然是善與惡的問題。現今國際社會，意識形態的對抗，常常為政治家所利用。意識形態之爭，就是生活方式之爭。這種爭執最可笑的地方，就是政治家擺出關心其他國家人民的樣子，而

對其他國家進行鬥爭。事實上，沒有任何國家，不希望自己強大，他人弱小。希望其他國家人民過好生活，進而國力與自己一樣強大，完全違反國家利益，違反鬥爭的基本原則。擺出關心別人生活方式的姿態，根本是虛偽的外交手段。

因此，意識形態，也是一種戰爭藉口。它由道德出發，脫下宗教衫襖，披上新的禮服。今天的世界上，講究宗教與講究意識形態的國家，都是最好戰的國家。

在道德、宗教、意識形態的背後，都有偏狹的民族主義作祟，所謂「非我族類。其心必異」。如是而已。民族主義的範圍可大可小，從一個部落，到一個國家。凡政治團體，皆由政治人物主導；政治人物的個人意志，主導團體意志。道德、宗教、意識形態是虛，潛意識中的求偶、覓食鬥爭性是實。戰爭的本質，應該從生物上了解，而不應該從文化上了解。

人類的武器

在大自然中，人類沒有什麼條件跟動物談鬥爭。跑跳不如草食動物，爪牙不如肉食動物。加上沒有皮毛，連防禦的能力都相當薄弱。（人類之武器，較之猿類、猴類，差之甚遠）自從舊石器時代早期，開始了石器製作後，勉強有了類似爪牙的武器，勉強可以說不再任（大自然）宰割。其中石球的發明，最具意義。它是一種可以投擲的武器。可以輕易地，打傷或者打死人類要攻擊的對象。

　　人類在自然鬥爭上，突飛猛進的進展，發生在舊石器時代晚期－出現了弓箭。弓箭是一種遠距離的投擲武器。自然界中，沒有任何動物，可以那樣遠距離的傷害對手。人類沒有演化來的武器，但是從自然界擷取材料，發明了武器。人類在自然界的鬥爭上，可以說因為投擲武器出現，而進入尾聲。因為地球上沒有任何動物，可以與人類的投擲武器相抗衡。人類躍居食物鏈頂點，並且自農牧時代開始，建立了封閉性的食物鏈。人類不再為覓食問題擔憂。

　　舊石器時代開始，人類嚐到投擲的滋味。除了實際的武器功能外；更大的樂趣，是抽象的－距離控制產生的快感。由石球而弓箭，由弓箭而槍砲。人類對於投擲的興趣，從來沒有減少過。隨著科學的日益猛進，對於距離的控制越來越有心得。古人說的「運籌帷幄之中，決勝千里之外」，不再是一句恭維的話，而是實際情況。控制距離，從舊石器時代開始，就是人類的特徵，就是人類有別於動物的地方。

　　對於投擲武器的運用，讓人類成為地球的主宰，也讓人類在自然界沒有對手。照理說，武器的進化便應該停止了；因為沒有發展更厲害武器之必要。然而，自新石器時代開始，人類社會的大規模群居方式，導致男性荷爾蒙的嚴重失衡。作為最「準卡南勃」的物種，同類相殘益發嚴重。人類武器的進步，不是為了大自然中求生存，而是為了同物種間的戰爭－通過戰爭，把同物種殺死。為了迎合同類相殘行為，武器的進步，沒有一日停止。

　　動物的同物種鬥爭，為了屈服對手，而非殺死對手。但是人類的

武器太過厲害，自從弓箭出現後，便經常使對手在沒有屈服前，已經被殺死。（現代武器，這個特徵更是明顯）人類未必是最殘忍的動物，但是人類的武器，是最殘忍的武器。綜觀所有兵學著作，都認為戰爭的目的，在於屈服對方意志。然而，顯見這種論調是動物界的鬥爭理論，而非人類的戰爭理論。因為武器的太過厲害，人類戰爭中缺乏屈服與被屈服的過程，只是大規模的死亡。說到人性問題，人類是不是先天具備殺死同類的衝動呢。按照物種生存法則而言，人類倒未必想殺死人類，也只是想屈服對方而已。但是由於武器的厲害，無法有效的控制武器之傷害程度。（動物完全可以用爪牙主宰傷害程度，達到屈服目的，傷害便可以停止）從這一點上看，人類這種萬物之靈，受制於武器，而非武器的控制者。

至於說因為殺死對方，而引起的報復行為，也是很多長期戰爭不能停息的原因。自然界的動物，在屈服同類之後，被屈服者多半默默接受自然的優勝劣敗安排，而鮮少報復。如果說，報復背後的仇恨，是一種情緒；那麼動物是沒有什麼仇恨情緒的。人類的仇恨情緒，與人類的武器進展，有一定關係。因為武器的進步，人類是最沒有安全感的動物。因為沒有安全感，人類在情緒發展上，多了一種可怕的思維：因為恐懼被仇恨、被報復，而更加殘忍的對待同類。

機器殺人的時代

機器是一種有點抽象的觀念。今天有以往沒有的機器，古代的機器沒有今天進步。然而，什麼是機器呢。機器應該是人類創造，而為人類服務的工具。不過傳統上，總是認為機器是一個可以活動的工

具。例如：多半不把鋤頭視為一種機器，但是把車輛視為一種機器。

在戰爭的歷史上，弓箭是第一種殺人機器。然而，那種機器的動力是人類自己的肌肉力，受制個人的力量大小。後續發展出來的弩箭、投石器，都是殺人機器。那些機器的動力，就是物理現象。（彈力）槍砲也是殺人機器，那些機器的動力，就是化學現象。（爆炸力）人類戰爭那樣可怕，導致人類對同類沒有安全感；因為，人類的武器，不是天然演化武器，而是一種科學武器，一種殺人機器。

人類的武器－有效的殺人機器，多半由礦物製作。史學家認為人類的文明，可以區分為石器時代、銅器時代與鐵器時代。那種分類，通常以人類的生產工具做為劃分標準。（例如石製農具、銅製農具。鐵製農具）事實上，人類的時代，也可以武器材質作為劃分：石製武器、銅製武器、鐵製武器。人類的生命血肉，如何與非生物的礦物相抗呢。

人類武器除了材質問題，就是距離控制問題。人類是會扔東西的猴子，對於距離控制，有不可思議的興趣。弓箭、弓弩、投石器、槍砲，以致今日的導彈，都是距離控制下，射程越來越遠的殺人工具。不過在導彈全球覆蓋的情況下，距離已經不是問題。短時間內，人類會在武器的投擲速度上下功夫。

隨著科學進步，往後的武器發展，必然配合著人類幾個科學重點－網路、機器人、基因工程向前邁進。（通過基因工程改造過的人類，必然會大規模的應用於戰場。只是那種半人類半機器的物種，要

歸屬於人類還是歸屬與機器，是一個分類學上的問題）長時間內，無
人化的武器必然席捲世界。人類武器有小型的個人操作武器，也有大
型的多人操作武器。未來的無人化武器，可以有大型、小型、微型幾
種。大型無人武器，也就是無人飛機、無人坦克、無人艦艇等。小型
無人武器，就是人形（或者非人形）機器人。微型無人武器，就是奈
米（nano）化的機器。

　　人類的武器因為太過凶厲，難以控制，從弓箭開始，便與動物武
器不同：容易殺死人，不容易屈服人。當大型武器無人化的時候，那
更是一個不能控制的武器。人性的初始，與動物無異，並沒有特別的
地方。人類是因為武器的凶厲，導致殘忍。現在，人類把殘忍的部
分，交由機器處理。看似擺脫了一些責任，實則令戰爭更加殘酷。無
人機器殺起人來，沒有任何情緒，沒有任何下不了手的感覺。（普通
飛機、坦克、船艦的操作人員，還是受到一些情緒影響）這種戰爭，
簡直不是人與人的戰爭，而是人類與另一個（機器）物種的戰爭。機
器沒有人性，人類在戰爭時，偶爾產生的不忍之心，將完全排除。機
器殺人的場面，或許不久即將上演。那必然是慘不忍睹的局面。

　　面對這種不對稱的殺戮，人類只有互相派出無人的殺人機器以相
對抗。這種機器與機器的戰爭，也許免除了人類受苦，但是達不到戰
爭的目的。那種戰爭，變成了遊戲一般的經濟戰；雙方的輸贏，決定
在機器的相互攻擊；殘存多者，以為勝利。但是這是一廂情願的說
法。機器毀滅機器，不能決定人類的戰爭輸贏。人類戰爭，最終還是
要以殺死同種作為結局。因此，無人機器殺人，是不可避免的。遭到
不同物種的殺戮，人類或許已經遺忘；但是在未來，記憶將被喚起。

　　無人機器的更大隱憂，在於機器最後可能不受人的控制。機器可以受人控制，在於網路連結。通過網路，機器可以執行人類的殺人意願。但是網路可以受到破壞，也可能發生故障。當無人機器不受控制，而隨意殺人時候，那就不是戰爭兩造之間的問題，而是人類與機器之間的問題了。

　　上面所說，是無人機器一旦（被動的）失效，而造成之結果。至於說，無人機器會不會（主動）出現意識甚至意志呢。這就是更可怕的事情了。機器一旦有意識，極可能相互串連發展成意志。如果機器出現了分別觀念，自認為與人類不同種類，那更是一場機器與人類的全面戰爭。人類沒有獲勝的機會。

　　除了大型無人武器之外，人類也會發展小型無人武器。所謂小型無人武器，就是人形（或者非人形）機器人－戰士。這種機器人體積小，更適合滲透與小規模作戰。這種戰爭一旦發生，它們可以向對手的核心戰力與領導部門發動攻擊。因為材質問題與無人性問題，這種機器人與人類鬥爭的效率極高。但是，它們同樣有被動失效，與主動出現意志的問題。其情況的可怖，與大型無人機器完全一致。

　　人形（或者非人形）機器人的更大市場，或許不是在戰場上，而是在社會治安上。機器可以作為戰士，為什麼不可以作為警察呢。畢竟人民手無寸鐵，不是更容易讓機器穩居上風麼。這個事情，出現的可能性更大。只是政府與人民的鬥爭，不在一般戰爭範疇之下。或許，戰爭的定義也正在改變。

更為兇厲的無人武器，是奈米機器。奈米是長度單位nanometer，是 1 公尺的十億分之一。（10^{-9}m）當人類可以把機器，以奈米大小呈現出來的時候，它完全顛覆了人類的認知世界。應該看得見的東西，看不見；本身即有祕密、謀略的思惟。奈米化機器，當然是最好的武器。

軍事上，應該看見而看不見，是一種兵法技巧。（政治上，應該看見而看不見，是一種控制手段）奈米武器，是人類戰爭的高級境界。那個世界，是一個敵人無所不在的世界。

分述六　漫視信仰

信仰與政治

信仰起源於恐懼。信仰（faith）是一種向外力（outside force）的求助活動。人類最大恐懼，就是死亡。人類為什麼對死亡有這樣大的恐懼，應該與人類的強大記憶，不無關係。記憶中的恐懼，會使恐懼深化，而對未來可能發生的各種不利，更為恐懼。

動物有恐懼問題，但是沒有信仰問題。一者與記憶薄弱有關，二者思維不夠細密，不能把恐懼與免於恐懼的想法理論化。信仰大約起於舊石器時代晚期，在原始人類的社會中，常常可以發現與衣食無關的象徵性物件。那些物件常常就是信仰的痕跡。這些痕跡顯示，原始人類，已經開始向外力求助。

外力，即是不可知的力量，它可以任何形式出現；可以是鬼、神、精靈、神仙或者其他。任何比人類強大的，未知世界的力量，都可以稱為外力。外力存在的理由，是保護我們在已知世界的利益。

鬼或者靈魂，是人類對於死亡恐懼的系統化結論。人如果死後，

變成為鬼，那麼就代表死亡並不是結束；而只是一道門檻。門檻的一邊，是生，是人；門檻的另一邊，是死，是鬼。這種邏輯，讓人類對於死亡恐懼，有降低作用。因為，無論在這邊或者那邊，都是一種存在（being）的現象。存在，是最重要的事情，形式並不重要。人、鬼的形式不同，但是存在代表永恆。鬼是人類一大文化發明。鬼的存在，是人類對死亡恐懼的一種救贖。

人類群居，政治行為從來不缺少。鬼的初步政治化，就是祖靈，或者祖先崇拜。在一個家庭中，什麼人可以與祖先之鬼溝通，獲得啟示與包庇，什麼人就有最大的權力。這裡就出現信仰的儀式問題。所有祖先崇拜，都由男性家長主持。在系統化的鬼之世界中，主祭者可以與鬼溝通，有了家庭中最高的政治地位。因為，他可以溝通門檻的兩邊。這種地位崇高極了，家長巧妙的控制著生死問題，控制著人們對於死亡的恐懼問題。政教合一，在極原始時代，就顯露端倪。

新石器時代，凝聚多個家庭而產生的部落出現。此時祖先崇拜，便有些不切實際。每個家庭都祭祀祖先，每個家庭都有家長祭祀其鬼。那麼，酋長如果只祭祀自己家庭之鬼，信仰上的政治地位，就不得凸顯。這時候，人類創造了新的信仰系統－圖騰。（totem）圖騰於每個部落，都不一樣，祂們是部落之鬼，是所有家庭的共同祖先。其地位超過家庭之鬼。酋長與巫師配合，溝通部落之鬼。因為掌握祭祀儀式，酋長藉由信仰而獲致政治權利。政教合一或者以教輔政，又有了新一步的發展。

圖騰是部落的共同祖先，多半是一種兇猛動物。酋長藉由與圖騰溝通，而獲得權力，並以之形成神學的律法：同部落者不得通婚，同

部落者不得相互傷害。藉由外力，而產生族群內部的律法。圖騰在人類歷史上，佔有重要地位。政治人物經由圖騰，得以擁有信仰之力、政治之力與律法之力。圖騰是人類社會神道設教的好例子。

人類的社會，繼續在歷史長流中行進。當集合多部落而成國家的時候，顯然國王的政教權力又受到挑戰：國家中的各大部落崇拜各自圖騰，則僅僅祭祀圖騰的國王，便失去信仰上的權力位階。因此，超越圖騰的新信仰，應時而生。神祇正式出現在歷史舞台。神的出現，是人類文化又一大發明。神可以單獨出現，也可以一起出現。後者，一起出現的神，對於國王的權力而言，更有好處。

一起出現的神，需要更為強大的思維系統在其背後，將祂們統合起來。這種思維，便是神話。（myth）神話以西方的奧林匹亞神話最出名。諸神聚集在一起，形成如同國家般的朝廷－天國。（heaven）這個國家中，有國王宙斯，皇后海倫，還有眾多的大臣，（火神、牧神、海神，酒神等等）圍繞其間。這個在天上的國度，只有地上的國王，可以通過儀式禮拜。更重要的是，它把地上與天上的國家形式，綑綁在一起，暗示人類的國家形式，與諸神一般；似乎地上的國家，是受到上天啟示（apocalypse）而成立。這種天啟思維，對於國家成立有實質效果。它可以淡化各個部落酋長的疑慮與不滿。

國家成立初始，一定有許多異議。原來各個酋長雄霸一方，現在必須脫離其勢力範圍，聚在一處。遠離自己的生產與武力，採取（官職）俸祿的方式獲得利益。這種與土地脫節的（官職）俸祿方式，有其風險。一旦國王免除其官職，則一無所有。因此，天庭的神話觀

念，多少讓這些酋長舒服一些。畢竟，在天上的諸神，也是採取這個政治制度。人間的國家，是模仿（copy）天上的辦法，是向諸神學習的。

這個道理，或者說這個發明，東西方皆是一樣，西方以奧林匹亞神話出名，東方則有玉皇大帝與之呼應。宙斯的天庭與玉皇大帝的天庭，都反映了人間制度的合理性。二者都藉由神秘外力，替政治體制找到了藉口。

鬼神觀念，是外力的邏輯化與系統化。這個系統的極致，就是創造者（creator）的出現。在人類政教合一的管理模式下，外力不斷的升級，以配合施政者的統治層級。創造者，是鬼神的最高級地位。從歷史上看，這種信仰的出現，與帝國出現的時間接近。帝國還是一種國家形式，只不過是國家的擴大；擴大至在領土與力量上，其他國家難以匹敵。從鬼神與政治的關係上看，創造者不同於一般諸神。祂既然是創造者，就是人類的源頭，也包括諸神的源頭。一個帝國的皇帝，是諸多國家的共同領袖，他的地位與創造者並列，才能在國際之間，凸顯其地位的崇高。這種創造者的神話與其系統，多半被正式稱之為宗教。（religion）

人類的社會，非常複雜。人類活在社會中，並不簡單。求助外力的想法，從來沒有自人類社會消失。然而，信仰的強化與膨脹，顯示信仰由免除個人痛苦的初衷，往集體統治技術方向走去。信仰的強化與膨脹，與政體的大小有絕對關係。人類的群居方式，從家庭而部落、國家而帝國。信仰，隨著群居方式的擴大而擴大；政教合一，是長時間被政治人物使用的一種統治方法。

宗教的衰落

求助外力的想法，從來沒有自人類社會消失。但是，外力到底是什麼，卻是一個說不清楚的事情。文藝復興，是人類歷史上的一種精神大活動；是中世紀太過強調外力的一種反動。在舊有的那個世界中，神主宰了一切，人類失去了之所以為人的價值。文藝復興是以科學質疑宗教的時期。

科學可以視為文明產物的結果，也可以視為思考事情的過程。科學的思考必須依靠邏輯，而嚴謹的科學，則必須在邏輯之外，講究實證。也即是說，除了推論，還要有實驗以為佐證。這種態度，首先發難於自然科學；物理、化學、天文等等領域，都因為科學實驗，而益發嚴謹。這種種嚴謹，導致了近世對於世界的認知，成就了今日的科學文明。在這個世界蛻變的過程中，宗教數度的反撲，許多自然科學家深受其害，甚至喪失了生命。然而，科學家義無反顧，並在科學史上留下典範，成為後世追求真理的楷模。

這種實證的精神，很快進入人文世界。人類從科學的角度，理解宇宙（自然現象）之後，開始試圖理解人類自己。幾種新式的求學方法，進入學術領域，例如：考古學、人類學、社會學、心理學。這些新式的學問，都是以人類為觀察對象，提出科學的解釋。這些新學問，也常常冠以科學二字，統稱為人文科學，或者社會科學。

人文、社會科學，對於人類文化的衝擊更大。它剖析了人類自

己，闡釋了人類生活運作的潛在模式。但是，人文、社會科學是一柄兩刃劍，它也對人類世界的諸般舊有闡釋，提出了質疑於攻擊。其中，宗教便是主要攻擊的對象。

宗教，講究的是不同世界的相互介入。一種不可知的外力，對於人類的影響。在科學的要求下，宗教世界是否存在，外力是否存在，都必須通過檢驗。而這種檢驗，至今無法驗證。

西方有一句話，叫做 seeing is believing，中文剛好可以翻譯為「眼見為實」。（中國有 seeing is believing 的觀念，起源甚早，漢代劉向的《說苑》，就有「夫耳聞之，不如目見之，目見之，不如足踐之」說法）「眼見為實」對於宗教而言，是最嚴厲的批判。因為宗教世界的特色，就是沒有人真正見過。宗教的存在，有政治管理上的考量，更有撫慰人心的地位。但是，它就是不能驗證。宗教世界的存在，在於信仰者的唯心信念，而不是信仰者的科學觀察。

宗教存在的基礎，在於經典。經典，是唯一可以依靠的宗教證據。然而，經典是由文字寫成的，是一本書籍。文字與語言距離不是很遠。文字是語言的具體化，基本上，是語言之集成。經典，勉強可以視為一種「人證」，但是難以嚴格的說是「物證」。在這種科學邏輯的檢視下，人類需要 seeing is believing 一下宗教世界，需要證明宗教世界的存在。

因為科學驗證的原因，人文社會科學，對於文字的信任度，不同於以往。考古學、人類學、社會學、心理學的主軸研究方法，就是摒棄文字，而以實地採訪、問卷調查、科學發掘、動物實驗作為了解

人類活動的依據。懷疑文字的可信度，是現今學術與古代學術的重要不同點。「書上說的」，在今日已經不是百分之百可以作為證據了。

在科學觀念的普及下，懷疑宗教世界的人越來越多，宗教的地位與影響力也日益薄弱。科學的興起，導致了宗教的衰落。今日接受宗教的人數，或許沒有明顯減少。但是對於宗教的虔信程度，遠遠不如數百年之前。

未來宗教的幾種走向

宗教是一種求助的活動，它的出現與恐懼有關。恐懼是一種學習而來的心理狀態。年幼的獸類（包括人類）都不知恐懼，所謂「初生之犢不怕虎」。就人類而言，恐懼的出現，一，是經驗與記憶的累積；因為過去的恐懼，而對新生的恐懼有加深作用，所謂「一朝被蛇咬，十年怕井繩」。二，是被教導出來的。所謂被教導，就是由年長者傳授了恐懼的經驗與記憶。父母擔心小孩的安危，總是誇大講述要遠離的事物。（包括勿接近動物）久而久之，恐懼也就在孩子的心中播下種子。

恐懼的最大者，就是對死亡的恐懼。人類因為活得長久，又有強大的記憶，對死亡的同類，心生恐懼，進而懼怕自己的死亡。這件事情，又與人類的理智與情感有關。因為理智，可以根據他人死亡，推測自己的死亡。因為感情，對他人的死亡有不忍之心。其他的動物，因為理智感情不強大，對於已經死亡的生物，（包括同種）沒有恐懼

的感覺。因此，就智力而言，可能智力越高的人，越有恐懼的經驗。這一點，在社會層面上來講，也是如此：高層社會的人士，比較膽小。低層社會的人士，比較膽大。

死亡是不能避免的事情，恐懼死亡的心理，也永遠不會消失。因為恐懼死亡，宗教也永遠不會消失。

宗教的確與死亡緊密聯繫。世界上有一些宗教，因為不談死後世界，（例如，中國的道教，以成仙為目的）就不被歸類為嚴格定義下的宗教。

現今社會，因為戰爭的恐怖，各種現代病的流行，（飲食過當、污染增加、壓力繁重等）恐懼死亡的心理，較古人嚴重。因此，現代人應該比古人更需要宗教的安慰。

然而，科學的發展，導致宗教的衰落。科學的實證精神，打破了外力世界的迷思。除此之外，民主思想也不利宗教的發展。民主的基石在於人本精神，無論自由、人權觀念，都需要強烈的個人主義作為支撐。人本主義的興起，個人主義的氾濫，都對外力主宰的那個世界，有摧枯拉朽作用。在個人主義的狂潮下，人越來越有雄心壯志，也越來越孤單。因為，沒有宗教的護佑，人類一切都要靠自己，踽踽獨行。

然而，人類還是需要求助。舊有的宗教體制與解釋，或許會有變化，但是宗教不會消失。它從祖靈、圖騰、諸神等等一路走來，各自完成文化任務。宗教的往後發展，可能趨於三種方向。

1

傳統宗教的政治作用，仍然會在部分地區存在。主要在較為弱勢的國家流行。弱勢國家與強勢國家抗衡，非常不容易。這種不容易，乃是因為科學造成的文明落差。科學對抗，完全不同於肌肉對抗。民族間的體能差異，常常是古代鬥爭的決定性因素。科技代替了體能之後，優勢體能的民族，在各種鬥爭場合中難以發揮。然而鬥爭仍舊持續，科技低落的民族，如何勉為其難的繼續鬥爭呢。團結一致這個老式政治口號，仍然有用。

自從部落開始，酋長與巫師的關係就密切。政教合一的真正面目，是酋長帶給人民暴力的（已知世界）恐懼，巫師帶給人民死亡的（未知世界）恐懼。現實世界加上想像世界的恐懼，是人民不敢反抗的原因。人民不反抗政府，是政府存在的基本條件。因為政府如果不掌握恐懼，只是一個輕飄飄的抽象觀念；為什麼一些人要聽另一些人的話，要以另一些人的意志為自己意志呢。

人類團體的反抗行為是必然的。理由，還是荷爾蒙沒有適當發洩管道，還是因為人類社會的非正常群居現象造成。因此，政府與人民之間如果不存在恐懼，不以恐懼畫出政府與人民之間的界線，則政府功能不得發揮，甚至政府不得存在。

因此，酋長是政治領袖，是實質領袖。巫師是宗教領袖，是精神領袖。政治領袖需要精神領袖輔助，是歷史上的長久運作方法。這種方法，如今從內部發展至外部，處理的更為細緻一點。也就是說，宗教除了在國內輔政之外，在國際間，可以結合民族主義，形成對抗其他民族（國家）的力量。

　　民族主義是國際鬥爭的底線。當抬出民族主義（我跟你不是一種人）時候。所有的理性思維都被打破了。民族主義，就是血緣主義。我們是一家人；或者，在多少年以前，曾經是一家人。這種一家人的觀念，本來就有宗教意味。當宗教的初期發展時候，祖靈信仰的依據，便是血緣。便是因為血緣，而受到共同祖先的庇佑。祖靈信仰發展至圖騰制度時候，更是接近民族主義；同一部落，受到部落祖先（非人類的可怕動物）庇佑。部落組成國家，民族主義這個名詞便出現了。民族主義就是血緣主義。它的基礎，是不同民族的同時存在。不同的民族，才可以分辨你我，才可以劃清界線。（中國古代的「非我族類，其心必異」就是一種民族主義的雛形）

　　因此，血緣的相異，才是民族主義得以產生的基石。這種相異性，如果配合上相異的宗教，就產生火上加油的效果。它可以為政治人物善加利用，作為對抗其他民族（國家）的利器。當民族主義與宗教結合，可以授予政治人物極大的統治權力。他既是政治領袖，又是宗教領袖。酋長與巫師合而為一，變成一個國家的大家長。

　　民族主義式的宗教，對抗性格非常強烈，它除了可以對外在國際間發揮作用，也可能在國內形成不同教派，而彼此內鬥。它是一種有危險性的宗教。這種宗教可以說是開了歷史的倒車。它不但回到政教合一的狀態，還取法祖靈與圖騰的團結人民模式。當然，這種民族主義式的宗教，多半產生於相對弱勢的國家。它最適合扮演拯救者的角色，而激發起人民的同仇敵愾心理。

2

自從文藝復興以來，宗教受到科學的打擊。因為驗證態度的普及，繼而對未知世界希望以科學理解。然而，至今為止，科學並沒有對未知世界有合理的解釋。對於接受科學思維的人而言，信仰宗教是一種不科學的行為，因此，不能夠以舊有態度面對傳統宗教。

但是，人類的恐懼（死亡）心理，從未消失。撫慰心靈的要求，從未消失。中國有「天助自助者」一句話。自己想辦法幫助自己，自己有能力撫慰自己，不失為一種好的選擇。

世界上有一些類宗教的活動。這些活動之所以稱為類宗教，而不在嚴格定義下被視為宗教，即是因為它們特別強調修行，強調自己的修養，而不強調神明對個人的幫助。宗教的特點，就是人與神之間的施與受關係。如果不強調這種求助與恩惠的關係，則難以形成完整的宗教架構。尤其是這些準宗教，並不重視死後世界，這就與宗教有了根本上的差異。這種類宗教，對於相信科學，不接受宗教的人而言，是可以接受的。其中最為著名的類宗教，就是瑜伽、道教、禪宗。

瑜伽並不強調神明或者死後世界，而是講求身、心、靈的和諧，以達到現實生活中，個體的完美狀態。道教講究精、氣、神的修煉，以達到現實生活中，個體的完美狀態。並且，在傳統道教的體系中，修行的目的，並不是如何面對死後種種，而是可以不死－成為仙人。成為仙人，或許也涉及了未知世界。但是那個未知世界與宗教的未知世界大異其趣。仙人並不存在於死後世界，而是處於可以長生不老的狀態。只能說，因為對於未知世界的嚮往，道教比瑜伽更接近正式宗

教一些。

　　禪宗類似前兩者。只是因為在中國，歸納為佛教的一支。（佛教在中國有三論宗、天台宗、華嚴宗、法相宗、淨土宗、密宗、律宗、禪宗八個派別）因此，它總是被視為佛教。事實上，禪宗在佛教裡很特殊。它完全講究自身的修持，講究現實生活中，個體的完美狀態－身心自在。無論身體的自在還是精神的自在，都是因為個人的努力，而不是因為外力的加持。因此，禪宗與瑜伽、道教都有很類似的要求。那就是強調身體與心靈的鍛鍊，而成為「超人」。

　　這種超人，並不是尼采 Friedrich Wilhelm Nietzsche 所謂的超人。尼采的超人，是個人權力意志的極度展現。瑜伽、道教、禪宗的超人，是身體與心靈的完美平衡。尼采的超人，會導致身心的劇烈震動。瑜伽、道教、禪宗的超人，會產生超過一般人的舒適感覺。後者的超人觀念，很有一點演化的味道。人類科學越來越進步，人類身心不能與之配合，而有無限的痛苦。宗教與準宗教，都可以給人安慰。不過一個是來自於未知世界的外力，一個出自自己的認知與努力。它們的目的一樣，只是方法不一樣。

　　未來世界中，瑜伽、道教、禪宗，以及其他類似改變自己身體狀況與心靈狀況的活動，會因為科學的深入人心，而大量增加。「天助自助者」的觀念，會逐漸流行。這種類宗教，不能取代宗教。但是可以為不接受宗教的人，打開一條求得安慰的道路。鍛鍊自己成為超人，也許是人類演化、機器演化間的一個折衷方式。

3

宗教之於人類，已經相伴多年。因為科學的衝擊，令人對於那個未知產生懷疑。然而，物質決定精神，需要產生供給。宗教的作用，是絕對不可忽視的精神力量。它緩解了人類的恐懼，同時，有安定整體社會的力量。（這也是政治從不輕視宗教的原因）

人類是一種靈長類，好奇心是特色之一。對於宗教的安撫部分，類宗教或者可以發揮作用。但是對於神祕未知的探索，卻始終縈繞人心，揮之不去。在科學的審視下，造物者到底是什麼狀況，到底有沒有造物者，從神學領域轉移到了科學領域。可以說，神學最終漸漸向科學靠近。也可以說，科學希望徹底的檢視神學；它是無中生有，還是多少有些真相。

這種宗教的科學性探討，相當吸引人。它仍然有宗教的情懷，但是不是宗教。它的目的，是探索外力的有無，外力是什麼一種狀貌。這種探索，傳統宗教的解釋，不能滿足科學要求。科學對於宗教的探索，可以分為兩部分。

第一，未知世界的有無。這種探索可以溯及宗教的最原始形態，也就是祖靈說。除了我們的世界，是不是有一個未知的，非物理界的世界。如果可以證明有另一個世界，能夠與我們的物理世界溝通，並且影響我們的物理世界。那麼，鬼的存在就可以有依據了。如果最原始的鬼之世界，可以被證明。則神之世界，宗教之世界，都可以被證明了。因為鬼與神，在屬性上並沒有什麼差異。只是祂們的高低層次不同，對人類有不同的影響罷了。

這種探索，屬於一種物理學的探索。但是，它不是探索物理世界，而是探索非物理世界。這種探索，在物理界，不會是顯學；但是，它始終讓非常多人入迷。對於非物理世界的科學探索，當然不能說是宗教；而是以科學研究宗教。這種研究，很容易被宗教界利用，以為肯定宗教的基石。除了嚴格的物理學論證外，大多數這種研究，都有濃厚的民俗學色彩。民俗學，是以文化現象解釋文化現象的研究，其本身就是一種文化活動，而非科學活動。

尋找未知的物理世界，是一個極大科學挑戰。它是科學與宗教的微妙交集。除了少數物理學者，與大量文化學者對這個問題有興趣。它也將會是文學、藝術家的重要創作主題。

第二，上帝的定義。宗教經過祖靈、圖騰、諸神、上帝的發展。最後，外力擁有了一種創造者的地位。創造者，未必不存在於我們的物理世界。因為祂的創造物，佈滿了物理世界；祂的創造物，形成了物理世界。

今日的生物學證明，生命有其演化過程；其時間，較宗教家描述的要長久得多。今日的物理學證明，宇宙也有其演進過程；其時間，也較宗教家描述的要長久得多。因此，如果真有生命的創造者，或者宇宙的創造者，祂必然不是傳統宗教形容的那個樣子。也即是說，上帝的定義，有所改變。

這個問題，是物理、宗教與哲學的共同議題。它的探究，還是要

依靠物理學的實證，而不能依靠宗教與哲學的解釋。由於科學的進展，如今明白地球不過是太陽系的一個行星，太陽不過是銀河系的一個恆星。而銀河系，又不過是宇宙無數星系之一而已。在這樣廣袤的物理世界裡，如果有創造者，祂不是傳統宗教能夠形容的，祂的能力，也不僅僅是創造人類罷了。

在這裡，人類的想像力又可以分為兩途。一是生命的創造者，二是宇宙的創造者。這兩個創造者可以是一個，也可以是兩個。如果這兩個創造者是一個，基於宇宙創造，先於生命創造的事實；則宇宙創造者是沒有生命的。如果宇宙與生命的創造者是兩個，那麼，生命創造者的生命又是誰給予的。這兩個問題，都涉及了從無到有的過程。物質的從無到有，科學是可以解釋的。但是在宗教上，那個造物者看起來，從開始就是一個「有」（being）的狀態。

因此，基於科學的認知，現今宗教對於神的定義模糊了。祂到底是宇宙創造者、生命創造者，還是人類的創造者。這個問題的前兩者，科學都有了初步的答案。對於後者－人類的創造者，就留給宗教一點討論餘地。畢竟宗教是人的宗教，不是泛宇宙或者泛生物的宗教。宗教關心的還是人的問題。

人類是演化而來的，人類與猩猩的基因，只有百分之幾以內的差別。（人類與紅毛猩猩的基因，相似度為 97%；與大猩猩的基因，相似度為 98%；與黑猩猩的基因，相似度為 99%）那一點點差別，卻讓猩猩仍然逗留在森林中；讓人類建立文明文化，開始探索宇宙。那一點點的差別，實在太大了。在那一點點的進化過程中，是不是外力

相助；是不是神之手指加以指引，的確有啟人疑竇的空間。

　　因此，人類的創造者，是外來高等科技的說法出現。這種論調，是結合科學精神與宗教情懷的一種想像。這種說法，不失為一種新的宗教形式。只不過這種宗教形式中，神的樣貌已經改變；神的定義已經改變。但是，只要在這種新宗教沒有被科學驗證為非，它還是可以保有宗教特色－讓人類繼續對於未知世界，充滿想像。

分述七　漫視道德

道德的功能

道德是人類特有的一種行為，或者說，思考模式。動物沒有人類所謂的道德。（但是，群體動物有階級觀念）人類是一種動物，因此，早期的人類也沒有道德。

道德的起源，與人類群居有絕對的關係。因為，道德就是一種人與人相處的規範。這種規範，由於多數人聚集一起，要求避免摩擦，而人為（人所制定）產生的。人類大約從新石器時代開始，農牧業興起。較多數人口聚集於一處，形成部落或村落。為了維持和平，基本上有四種避免、緩和摩擦的行為出現。那就是：道德、法律、宗教與藝術。

道德是內心認知上的對與錯。法律是明文規定的對與錯。宗教是神明指示的對與錯。藝術與上述三種事情不相似，藝術不指導人類的對錯問題。它是一種幻象，可以平和人心的摩擦，令人暫時遠離對錯的爭執。這四種人類特有的行為，都是避免群居摩擦，而出現的文化

現象。前三種，是剛性的，有相當或者絕對的強制性，用以控制人類（因為群居導致的）荷爾蒙爆發。後一種，是柔性的，用以緩和人類（因為群居導致的）荷爾蒙爆發。

道德就是人類行為的對錯標準。生命本身，只是求偶與覓食地活著，哪有什麼對與錯的問題呢。對錯問題，出現在人與人的關係上。如果一個人獨處－例如隱士生活在深山密林中，是不需要道德的。道德有一種施與受的關係，道德需要對象。

道德跟法律的關係最接近。以現代的觀念而言，就是「成文」與否。白紙黑字明訂下來的規範，就是法律。沒有白紙黑字明訂下來的規範，就是道德。一般而言，部落型態的團體，沒有文字。那種團體規範，多半由宗教掌管。藉由圖騰的指示，達到人人必須遵守的地步。因此，早期的道德，多半與宗教結合。透過宗教，執行施政者要求的團體規範－特別是同部落不可以通婚，（男人與女人間的道德）同部落不可以相互傷害。（男人與男人間的道德－因為體能與荷爾蒙問題，男人顯然較女人，容易彼此發生肢體傷害）這兩件事情，是原始時期的基本道德。這兩種基本道德，是神明指示的道德。

同部落的男人與女人通婚，因為基因選擇性少，長時間，將影響部落人口的品質。同部落的男人與男人相鬥，因為死傷問題，短時間，即影響部落人口的數量。道德的出現原因，是為了抑制人類的荷爾蒙問題。抑制荷爾蒙，是團體（群居）得以永續的重要原因。因此，道德與政治的關係也密切，它是統治上的一種要求。執政者通過道德、法律、宗教來統治他的團體。

道德二義

　　道德是團體的生活法則，不是生命的生存法則。這兩種法則大異其趣，甚至可以說相反。在中國古代，對於這種不同，講的最好的就是孔子與老子。孔子講的道德，完全是團體生活法則。它是社會創造出來的，讓社會可以順暢運作的法則。這種法則的特色，就是壓抑荷爾蒙，讓人人在團體中保持忍耐的狀況。老子的著作，根本就叫做《道德經》，看來是專門講述道德的書籍。不過老子的道德，完全不同於孔子的道德。（道是法則本身，德是具備法則的狀態，所謂有德）老子的道，不是生活法則，而是生命法則。也即是說，它不是人類社會的法則，而是自然運行的法則。老子越過人類的生活，而直指生命。他看出宇宙的運行法則，認為人類不過是宇宙的一端。人類要生活的好，先要生存的好；合於自然法則。自然法則，有時候又稱為叢林法則。它是宇宙萬物，包括生物的最基本的法則。老子讓人感覺，其思想返璞歸真，師法自然，就是因為他不講社會法則，而講自然法則。在他的世界裡，人類既然是生物的一種，活得像生物一般，是最好的狀態，是最自然的狀態。

　　然而，老子理論，沒有把人類的現實狀況考慮進去。人類自從新石器時代開始，就過著一種不自然的團體生活。太多的家庭群居一處，太多的荷爾蒙相互激盪。那種狀態中，若是實行他的道德標準，人人都像動物一般的恣意生活，則天下大亂，團體根本不能維持。因此，老子是對自然的深刻觀察者，但是，他的道德定義，不能滿足現實需要。也即是說，自從新石器時代開始，人類就囿於團體的約束，

而不能自由自在的，像動物一般生活。人類的諸般問題，都來自於不自然的社會形式。人類是不自由的，但是不是西方說的不自由不民主，那種政治上的不自由。（自由民主絕非天賦，它違反了自然的生物學安排）人類的不自由，是因為人類的獨特社會，讓人處於一種不自由的狀態。它像是一個牢籠，一個沒有解決辦法的桎梏。

老子也知道這一點。因此，在他論述自然之道與自然之德後，於該書的後段說了「小國寡民...鄰國相望，雞犬之聲相聞，民至老死不相往來」這句話。他的意思是：人類社會，越小越好；人與人之間，越少往來越好。這是老子理想主義下的現實考慮。老子不懂生物學，老子也不懂醫學。但是他隱約明白人與人之間的荷爾蒙作用。只是，即便他的現實考慮，也深具理想主義色彩－人類的社會，非但沒有變小，而是越變越大。從家庭而部落，從國家而帝國。今日，大家已經習慣「地球村」這個名詞了。

西方講道德有兩種的，（社會法則與自然法則）應該以尼采最出名。他的主人道德與奴隸道德，與老子相當接近。（主人道德即是自然道德，奴隸道德即是人為道德）然而，尼采也沒有把他的哲學與現實狀況配合研究。尼采的主人道德，或者超人說，是不可能實現的。人類不可能有完全自由自主的權力意志。那種不可能，不是人類精神提升問題，而是人類的（不自然）社會造成的問題。尼采的聰明才智，不應該放在哲學，應該放在社會學與政治學，會有更大成就。

道德與階級

在原始社會的圖騰制度下，除了人與人的一般關係外，（男人與女人的界線，男人與男人的界線）還有人與人之間的特殊關係，那就是階級。獨居動物完全沒有道德。群居動物也沒有道德，但是有階級觀念。動物的階級，由學習而來。一般而言，幼獸對於成獸，可以親近無拘束。但是一旦成年，隨意的輕慢，是絕對不可以的。獸類在彼此的打鬥中，發現了階級的存在，並且願意遵守。因為獸類的階級，建立在暴力之上。通過暴力行為，階級自然出現。因此，群居動物的階級，由於體能的強弱而產生。一旦體能改變，（因為衰老病痛）階級也隨之改變。階級，是維繫團體和諧的自然法則。

人類的社會，不講究體能與暴力，而由統治技術（智慧）代替。人類的階級初始，與宗教有關。一個崇尚祖靈的原始家庭，唯有家長可以祭祖，可以與祖靈溝通。階級顯然與儀式的關係密切。在儀式中，有崇高地位者，獲得無形的階級。在家庭中，家長負責全家的食物與安全，還具有與鬼神世界來往的精神力量。精神世界的階級，是人類特有的階級。

人類的圖騰社會，也是如此。酋長與巫師，通過神明的指示，而獲得最高地位與階級。如果大家只是彼此和諧，而對酋長巫師沒有特殊尊敬，那麼酋長與巫師的政治目的，沒有達到。這種階級不是自然的體能階級，是人為的宗教階級。這種人為的階級，常常被稱為倫理學。倫理學的出現，與宗教有關。

　　倫理學，是上下尊卑的道德。這種道德的極度發展，就是把它擴展至社會各個層面。倫理學的核心，是一種長幼觀念－它與動物的長幼階級類似，但是，它不會隨著長者的衰老病痛而改變。動物的階級是體能階級，隨時變化。人類的階級，傳統上，不大容易變化。

　　階級無處不在，道德與倫理也無處不在。人類的階級，是為了維護階級的既得利益者，使之地位不發生變化。這種不變化，並不自然。它缺乏動物世界的淘汰機制。動物的階級變化，使得最強者永遠可以獲得領導地位，使團體覓食與基因傳遞，都處於最優質的狀態。人類的階級，（道德與倫理）則常常令強者不得出頭；社會階級高者衰弱了，還可以因為階級，繼續獲得最大利益。因此。就生物學角度而言，人類的階級，是一種不自然的，違反演化的行為。

　　階級是道德與倫理的核心。它的實際表現，例如對領袖的尊敬，對老師的尊敬，對父母的尊敬；以及從這三者發展出的種種尊敬。懂得尊敬或者禮貌（禮數）的人，通常被視為有道德的人。但是，一個尊長，沒有尊長的能力時，還需要尊敬嗎。《論語》裡面有一句奇妙的話，「齊景公問政於孔子。孔子對曰：君君，臣臣，父父，子子。公曰：善哉！信如君不君，臣不臣，父不父，子不子，雖有粟，吾得而食諸？」這句話裡面，齊景公提到了「君不君，臣不臣，父不父，子不子」問題，上位者圖擁階級，而無能力的時候；下位者不尊敬上位者的時候，局面很難處理。孔子對於這句話，沒有繼續討論。這段話，當然不如亞里士多德（Aristotle）的「吾愛吾師，吾更愛真理」（Plato is dear to me , but dearer still is truth）說的直接。但是這兩句話，都代表古代思想家對於領袖、父母、師長階級的多面向思考。

西方對於道德，常常以宗教（神）之愛包含之。東方對於道德，特別是階級道德，則明定為一種教條方式。其中對於領袖的道德，叫做忠；對於父母的道德，叫做孝。對於老師的道德，叫做尊。（尊師重道）其中對於老師的道德，甚至與父母相同。所謂「事師如事父」「師徒如父子」。對老師的尊，是因為老師負責文化傳承。對領袖對父母的尊重，都由老師予以教導。對於父母的孝，則是整個文化重視階級的開始，所謂「忠臣出於孝子之門」。家庭與學校教育，都是為了養成在社會上忠於長上的基礎訓練。最後，還是以社會的階級為歸依，促成團體的融合力。東方對於階級道德的重視，甚於西方。這一點是很明顯的。

民主、自由與平等，在當初，有其出現的特殊背景。民主、自由與平等，提倡的個人主義，是一種人本思想。它是神權思想下的一種反動，人類除了神的意志之外，必須保持人的意志。也即是說，它原來是宗教發展上的一環，它是反對宗教價值，而倡導人類價值的思想。但是曾幾何時，它步入政治範疇；離開了神的世界，在人的世界，也要求民主、自由與平等。這個事情，不能說是不對的。但是它涉及的層面太廣。對於社會上所有組織型態團體，都產生深遠影響。道德與階級的關係密切。在階級思想下，是沒有民主、自由與平等的；是沒有個人主義的。必須在集體主義的團體中，階級與階級道德，才能夠徹底運作。

自由，民主與平等，必然對傳統道德產生衝擊。除了政治，它也導致社會階級的鬆散，甚至消失。其中對於家庭、學校的影響最大。家庭與學校，是具有養成教育功能的團體。一個人，在家庭與學校中

受到教導。進入社會，便以這種被教導的模式，複製於社會團體。

　　如今的世界，是由政治而學校，學校而家庭，逆向的將自由、民主與平等觀念，徹底散佈於社會各個角落。人們對於宗教下的個人主義，轉向要求於政治運作中，再進一步，要求於學校與家庭運作中。這種徹底的個人主義思想，嚴重打擊傳統道德觀念，與其中的階級意識。傳統上，對於師長與父母的尊敬，可以說是階級意識。但是這種階級意識－學生聽老師的，小孩聽家長的，有其教育功能。唯有在聽話（be good）的狀態下，人類才可以在幼年時期，大量而快速的接受各種知識與經驗，為未來進入社會做好準備。

　　當師道與孝道，基本的階級道德都不存在時候，最嚴重的問題，是這些從小以個人主義，以自由、民主與平等，要求老師與父母的人，不可能大量而快速的接受知識。他們忘記了，即便是動物社會，在幼獸時期，也必須接受長幼的階級，受到年長者的嚴格訓練與磨礪。

　　年齡的階級，是一個最微妙的階級。所有人都曾經年幼，所有的人都可能年長。年齡的階級，是一種教育過程中的必須階級。遵守這種階級道德，目的是為了個人的成長，成為一個具有充足知識的人。這種階級道德一旦打破，人類的綜合品質，（知識與經驗）必然下降。

　　未來的世界，任自由、民主與平等觀念無限發展，必然走向極端個人主義世界。如若連最基本的教育性階級道德都失去，那種缺乏素

質的個人，將會形成一種反社會的可怕力量。人類社會如果沒有階級，只有自由、民主與平等，那不是一種自然的社會。就動物的群居特色看來，怕是不能長久。

道德與法律

道德出現的原因，是為了維繫社會運作。而人類社會每每不同，因此不同的社會，也有不同的道德要求。社會之不同，又因為時間、空間不同而相異。例如，中國古代有一段時間，對於婦女的道德要求嚴格。如果一個婦女的丈夫死亡，而該婦女終身不改嫁，則是忠於丈夫的表現。當該婦女年老之時，政府會建立一個貞節牌坊以為表揚。整個家族都與有榮焉。這種道德，放在不同的時間階段中，則沒有任何意義。放在今日，更被視為迂腐的行為。因此，道德會隨著時間而改變。又例如，中國邊疆的遊牧民族，認為一個婦女的丈夫死亡，該婦女應該由其兄弟繼承。這是因為遊牧民族人口稀少，而演變出來，合於現實需要的道德。這種道德，放在不同空間，不同社會，則又被視為驚世駭俗。因此，道德也會隨著空間而改變。

未來世界，道德會極度受到壓縮，以致消失。人與人的關係維繫，大約就要以金錢維繫。長官與部屬的關係，在於長官是發薪水給部屬的人。父母與子女的關係，在於父母是花錢養育子女的人。老師與學生的關係，在於學生是花錢買知識的人。這種金錢的關係，非常類似動物的提供食物關係。這種關係裡，只有利害沒有感情。

道德的自然發展，就是人際關係中的感情。在傳統社會裡，一個

有道德的人，常常被視為有感情的人，好人或者善人。當道德（倫理學）失去了，人與人的感情就日漸淡薄，所謂好人善人的定義，也就模糊了。人與人之間，沒有善惡問題，只有利害問題。

　　然而，生命會找出路，社會還是要運作。法律，是唯一可以代替道德的東西。道德與法律，本來就是一線之隔－不成文的規範叫做道德，成文的規範叫做法律。法律代替道德，並沒有什麼不好，只是法律沒有感情成分。人和人之間，通過法律條文維繫，感情不再是美德，而是一種可有可無的潤滑劑。也即是說，沒有道德，感情不再真實－只是純粹的偽裝行為，虛偽行徑。孔子所謂「文質彬彬，然後君子」的文質調和世界，不復得見。

　　孔子在他的那個時代，對於道德與法律，有深刻的見解。他說「道之以政，齊之以刑，民免而無恥；道之以德，齊之以禮，有恥且格。」他的意思是：講法律，人民會失去發於內在的羞恥心。講道德，則人民自然遵守規矩，而且有發於內在的羞恥心。兩個社會的不同：一個是剛性而無感情的，一個是柔性而有感情的。孔子是一個理想主義者，他的說法很難徹底實現。不過他的說法，在兩千五百年後看來，會走到他不想見到的那個局面－「民免而無恥」，人民受制於法律，但是沒有道德，沒有感情。

　　這個局面的形成，當然是因為個人主義與科學發展。道德，是集體主義維繫的重要因素。當個人利益永遠放在團體利益之先，人人都為增進自己的生活條件而相互鬥爭。這裡面，沒有道德與感情的地位。科學，大大助長了唯心個人主義的唯物的條件－科學增加了人類

的生物能力，讓人類更有辦法獨立的發展個人意志。

　　法律只是條文，它不可能面面俱到的規範人類行為。完全遵守法律，以法律為唯一標準的意思，就是在法律的模糊地帶，可以不遵守法律。凡是法律沒有顧全的地方，可以沒有道德，沒有感情的率性獨行。這些法律的模糊地帶，傳統上，有道德與感情彌補。現在道德與感情式微了，法律的模糊地帶，就要由孔子說的「無恥」來代替。那是一個冷冰冰的世界。凡是法律規定者，一定遵守。凡是法律沒有規定者，可以粗暴野蠻，任意而為。那個世界，不可能是一個和平的世界。

　　面對未來的個人主義與科學發展洪流，政府的嚴刑峻法是必然反應；否則社會不能運行。法律的特色，在於執行。不能執行的法律，與道德無異。科學令人類有了（生物性的）質量改變，這種改變，在人民身上可見；在政府身上，更是可見。未來社會，政府將以科學的力量，執行法律。

　　人類的集體性暴力，有兩種。一種對外，稱為軍隊。一種對內，稱為警察。因為科學的發展，軍隊的暴力，大大增強。警察的暴力，也會大大增強。除了法規的嚴格以外，警察或者將由機器替代。既有強大不可抗拒的執行力量，又避免了人與人、政府與人民的直接對抗。然而，以科學暴力對抗人民，以機器對抗肉體，會引起人民更大反彈。未來世界的民意與治安問題，都已經走上了一條不歸路。

分述八　漫視藝術

藝術的起源

　　人類是一種動物，其差別，在於動物的生活簡單；人類有文明文化，生活複雜。因此，觀察動物容易，觀察人類困難。但是，任何事情都可以以小見大，都可以見微知著。

　　人類學的初衷，是研究少數民族與原始民族。這種學問之所以值得重視，因為少數民族與原始民族人數少，他們多半以部落的形式群居。一個部落人數雖少，但是角色繁多而清楚：酋長、巫師、戰士、獵人等等。觀察部落，可以知道早期人類的生活方式。那種方式容易觀察，並且容易歸納出規律與理論。這些規律與理論，放大到今日人類社會，便是今日社會的運作模型。（model）觀察簡單而體會複雜，是研究學術的核心方式。

　　所有的人類行為，都可以縮小到動物行為；所有的動物行為，都可以放大到人類行為。所以觀察動物，是了解人類基本需求與心理的重要手段。人類有政治，群居動物也有政治；人類有戰爭，群居動物也有鬥爭；人類有經濟與婚姻，群居動物也有覓食與求偶；諸如此

類。但是人類因為大規模的不自然群居，出現一些特殊的行為，例如道德、法律、宗教、藝術。這四種行為，是為了處理不自然群居導致的荷爾蒙爆發問題。前三種，是壓抑荷爾蒙的衝動，後一種，是舒緩荷爾蒙的衝動。前三種，純然是人類文化現象。後一種，尚可以在動物界，找到一些蛛絲馬跡。

動物沒有音樂，但是動物在求偶的時候，會發出好聽的聲音。動物沒有舞蹈，但是在求偶的時候，會展現特殊的動作。動物沒有美術，但是在求偶的時候，會顯露好看的顏色。因此，人類的藝術起源，與動物求偶有關。特別是求偶行為的前奏部分。那一部分，是非常令人愉悅的部分。人類把這一部分綜合歸納起來，成為生活中調劑行為。

藝術是動物求偶的前奏部分；因為動物求偶，也有焦慮、衝突、失望等等因素。但是那不是前奏部分，前奏部分充滿快樂與自信。

動物求偶的前奏部分，充滿愉悅。其目的，是要在同物種、異性別之間產生共鳴，以達到交配之遂行。人類的藝術，同樣是以共鳴作為手段，以求自娛娛人。共鳴，在兩造的心中產生，而不是中介物的屬性。也即是說，動物的聲音、肢體、顏色，與人類的音樂、舞蹈、美術，其本身並沒有什麼好聽好看問題。它純粹是同物種間的一種心靈契合。那種共鳴，產生求偶前奏般的快樂。因此，動物的求偶方式，或者人類的藝術，在異物種之間，（例如鳥與羊、鴨子跟人）完全無法共鳴－因為異物種之間，無法交配。藝術與求偶的關係，非常明顯。

藝術的功能

　　人類藝術是一種模仿，模仿動物求偶前奏，而不是模仿整個求偶過程。那個過程若是完整，亦是酸甜苦辣。求偶前奏很有一點虛幻的意味－它是在事前，呈現最美好部分，以達到交配目的。人類的藝術，就是通過可以利用的媒介，（音樂、舞蹈、美術）來呈現那種愉悅與舒適。這種（部分）求偶過程的舒適，可以緩和人類非自然群居方式，帶來的各種痛苦與不安。因此，藝術之於人類，是創造了一個虛幻的情境，讓人可以暫時遁入其中，享受片刻安寧。它有調節荷爾蒙（心情）的功效。藝術是虛幻的模仿，但是人類不能沒有那種虛幻，人類在虛幻中，安靜下來。

　　藝術是共鳴活動，是由藝術家與欣賞者共同完成的共鳴。這種共鳴於虛幻的活動，在欣賞者與創作者而言，都會造成虛幻的情境。欣賞者（社會大眾）固然離不開這種虛幻，創造者（藝術家）同樣需要這種虛幻。藝術家是製造虛幻的人，同樣也是享受虛幻的人。藝術之所以成為一種工作、職業，是因為製造虛幻，對某些人而言，是一種生活方式。藝術家比欣賞藝術者，更實實在在的活在虛幻之中。

　　政治人物，對於人民想什麼，最為敏感。因為，他們的地位，就是由人民的好惡決定。一般而言，政治人物手中緊緊抓著人民的愛與怕，喜歡與恐懼，需要與避免。西方的政治學，對於這兩種事情，講的很清楚。中國的韓非子，則稱這兩種事情為「二柄」。它們是國王手中的兩件武器。

　　藝術對於人類而言，有舒緩、釋放荷爾蒙的功用。在政治緊抓道德、法律、宗教這些限制荷爾蒙的工具後，政治也緊抓藝術。藝術與道德、法律、宗教處於相反地位。道德、法律、宗教剛性的控制荷爾蒙，藝術柔性的控制荷爾蒙。

　　今日，對一般人而言，藝術是修身養性的休閒活動。藝術家稱為自由業，是最能夠發揮自我，過著與人無爭生活的人。但是這種狀態，在人類歷史上並不長久。藝術長期受制於政治與宗教。對於一種可以左右人類心靈的活動，政治與宗教不會輕易放手。

　　藝術是心靈的共鳴。誰可以掌握這種共鳴，就可以掌握民心。古代中國，由儒家長期主導思想。儒家的創始人孔子，就對於藝術的功能有深刻了解。孔子的政治主張，可以「禮樂教化」四個字概括。他對於道德、法律、宗教、藝術四者，有其特殊的見解。孔子不喜歡法律，他認為法律強制性太重。人民以法律為歸依，不會心悅誠服，甚至陽奉陰違，所謂「民免而無恥」。孔子也不喜歡宗教。事實上，他完全不能接受宗教。他的「敬鬼神而遠之」、「未知生焉知死」，都可以說明孔子沒有宗教情懷。他對於自己不能相信的事情，沒有辦法放置在政治思想中。孔子偏好道德與藝術。「禮樂教化」，就是以道德以及藝術來教育人民，指導人民。他認為，執政者只要妥善的執行這兩件事，就會出現安詳和樂的社會。不過孔子的藝術觀，侷限在安撫的方面，他認為禮（拘束）與樂（放鬆）之間，有互補的作用。因此他的樂有其定義；他只重視「雅樂」－和平美好的安靜藝術。他對於不和平、不美好、不安靜的藝術，不能忍耐。因此才會有「惡鄭聲之亂

雅樂」這句話。孔子的藝術，是由上而下的一種政治性藝術；它存在的目的，有安撫民心的政治功能。

對於藝術的功能性，儒家的荀子有更好的發揮。荀子發現藝術會引發心靈共鳴，而這種共鳴是可以控制的。他說「夫聲樂之入人也深，其化人也速」－藝術這種看似柔和的東西，可以很深的進入心靈，可以很快的改變人心。因此，他主張藝術可以有各種功能，只要在上位者適時、適地的加以應用，就可以引導民心，操縱民心。藝術的功能，並不侷限在按撫一途。它可以在各種條件下，產生快樂、產生憂傷、產生恐懼、產生憤怒等等。執政者可以利用藝術－不透過語言文字，無聲無息的，把自己意志，灌輸於人民心中。可以無聲無息的，宣揚執政者希望人民遵守的道德、法律與宗教。

荀子的看法沒有錯。長時間裡，藝術為政治所用。藝術幾乎可以用於任何場景之中：人民萎靡，可以利用使之振作。人民懦弱，可以利用使之勇敢。人民憂傷，可以利用使之快樂。人民狂躁，可以使之安靜。諸如此類。在藝術的項目中，音樂與舞蹈效果最為明顯，戲劇與文學的效果最為深長。激勵人心重要還是安撫人心重要，兩者端看執政者的需要。執政者面臨的鬥爭，有內部與外部兩種。內部主要是防止叛變，外部主要是對抗侵略。對內，需要安撫；對外，需要激勵。（觀看原始民族的音樂舞蹈，以激勵與快樂為主，而優美典雅者甚少。於此，又可知藝術的原始特色）

宗教，作為輔政的重要工具，在藝術上不能缺席。何況，宗教本身即是心靈活動，由宗教而產生藝術共鳴簡單不過。無論對內的安撫

與對外的激勵，有神明加持，（神的意旨）令人更能於潛移默化中，得以實現上位者的政治意圖。西方的中世紀藝術，幾乎清一色是宗教藝術，可見一斑。

　　宗教與政治的緊密結合，給了宗教藝術很大的空間。宗教相對於政治，是一種精神性的柔和管理；統一社會的藝術取向，即是統一社會的安定情緒。藝術重視主題，也就是表現的目的。在西方，長時間藝術主題不離開宗教。教會是長管藝術的重要機構。它設立了（宗教）主題－讓藝術家在那個主題下有限的發揮。藝術家追求精神生活，他們同時也需要物質生活。教會是社會上最大的藝術贊助者，（sponsor）也就是給予藝術家報酬。宗教因為社會目的，養活了大批藝術家。同時，藝術家也是特別追求自我，追求名聲的一種人。宗教教會，可以給予藝術家高層次的名聲。這種名聲，通常容易與政治結合，而獲取更高層次的名聲。綜觀西方中世紀藝術，宗教主題永遠是最大的主題。當然，藝術家也強調個性。畢竟那是很少的一群人。在宗教與藝術緊密結合的時代，那些有個性的藝術家，要表達不同主題的藝術家，基本上不得發揮，也就默默消失在歷史中了。

　　宗教藝術的特徵，除了安撫與激勵以外，傳達恐懼的情緒，也是重要一環。宗教必須對未知有敬畏之心。敬畏即是恐懼：對內而言，宗教藝術的天堂地獄描寫，使人不敢為非作歹。對外而言，宗教藝術宣揚聖戰觀念，讓人無畏恐懼的奔赴戰場。宗教藝術的背後，多有政治意義。藝術長時間為政治與宗教服務。藝術家有自己的獨立天地，在西方，是最近幾百年的事情；在東方，時間要長一點。（中國的書法藝術，大約在兩千年前獨立於政治與宗教）

藝術與民主、科學

　　民主時代開始，給了藝術家一點喘息的機會。藝術對宗教的服務，顯然是少了很多。藝術家可以依照個人的意志，藉由媒介（音樂、舞蹈、美術、戲劇等等）來表現自己的藝術主張。這種主張，表現在主題上。除了宗教主題，藝術還有千千萬萬的主題可以表現。藝術脫離宗教後，興起了藝術反映社會的思潮。藝術家可以以其才能與媒介，表達個人對社會的各種想法。

　　藝術家的解脫，當然與民主思潮有關。藝術家成為最會表現個人主義的一群人。其中部分藝術家的個人主義特別強烈，他們對於反映社會現象，沒有很大興趣，而把全副精神，放在表現自我上面；尤其是個人的獨特精神層面。除了「為社會而藝術」（art for society sake）外，更強調「為藝術而藝術」。（art for art sake）現今社會，藝術家給人特立獨行的感覺，由此而來。

　　然而，藝術雖然是精神表現，藝術品卻是一種有價格的產物。在政治與宗教控制藝術的時代，藝術家只要接受政治宗教主題，便可以獲得報酬。如今藝術家講究個人主義，其表現由誰來負擔報酬呢。因此，藝術離開了政治宗教，投入了商業的懷抱。藝術家不再受聘於政治宗教組織，開始與商人談起價錢；藝術成了一種商品。

　　商人的態度很簡單，將本求利，薄利多銷。要達到這個目的，就要迎合大眾口味。所謂的大眾口味，在藝術品的趣味上，就是俗文化

趣味。這種俗文化趣味，絕對有異於「為社會而藝術」、「為藝術而藝術」的趣味；因為後二者，有知性的成分在內。這種拋棄知性的商業藝術，偏重娛樂成分，而缺乏深思。（深思對於絕大多數人而言，不會是一種娛樂）藝術家在脫離政治與宗教束縛後，又受到了商業的束縛。所謂「商業藝術」與「純藝術」的區別，開始出現。在經濟的壓力下，屈服於商業的藝術家眾，走自己知性之路、表現自我的藝術家寡。這即是現今藝術家的苦惱。社會給予藝術家個人主義的空間，但是那個空間中，人數稀少。

在離開政治與宗教之後，藝術納入商業範疇，成為一種消費品。精緻的藝術，無法與消費藝術相對抗。前所未有的庶民藝術興起。通過藝術，表現藝術家的深刻思想這件事，在今天已經不流行。

藝術在這種商業的壓力下，顯得很無奈。就文明文化角度而言，近世的藝術有一種遷就的態度；遷就於眾人口味的態度。遷就於眾人，本來就是民主的精神。民主讓藝術家得了自由，卻又讓藝術家陷入一種不得自由的框架。藝術家本是最具個人主義色彩的人，民主精神與商業精神，卻讓他們不得表現個人色彩。這是民主與藝術發展之間的弔詭現象。

至於說到科學對藝術的影響，那就更為巨大了。無論表現執政者的意志，還是表現社會、表現個人，藝術之所以為藝術，是由藝術家對世界的認知所構成。科學改變了數千年來藝術家的認知，這種新的認知，是科學的認知；藝術家開始從科學的角度，表現其藝術內涵。其中最明顯的，就是美術與音樂。

　　藝術的諸般種類中，美術最重要，最與歷史發生關係。美術是視覺藝術，也是造型藝術。它和其他藝術的最大差別，在於其他藝術（音樂、舞蹈、戲劇等）多是表演藝術 performance art，表演藝術隨著表演時間過去，便已過去。而美術會在空間中留下痕跡－美術品。美術品在歷史中的意義，即是文物。文物是重要史料，等同於文字史料地位；甚至在說服力上，還要強於文字史料。就好像法律上，物證力量大於人證力量一樣。

　　文藝復興之後，美術家對於外界世界的認知，注意到科學解釋。簡言之，就是對於這個世界的模擬程度，必須達到科學的要求。其中尤其以透視學以及光學的追求，最有成就。藝術本來即是一種模擬活動，但是與客觀世界，還是有一定程度的差別。其差別，藝術家可以自由調整。其差別，也就是藝術價值之所在。在全力追求透視學與光學的情況下，美術幾乎可以與客觀世界完全一樣。這種技巧上的突破，當然拜科學之賜。科學的準確，讓美術家可以仿真客觀世界，其寫實程度，達到空前所未有。寫實藝術的流行，反應了美術家對於科學的臣服。

　　音樂可以分為聲、音、樂三部分。聲是自然的聲響，音是人為的音階，樂是調和聲與音之後的曲調。其中當然以第三部分最為重要，只有曲調的出現，才算是音樂的完成。文藝復興之後，出現了一種音樂，叫做交響樂。交響樂是集合許許多多的聲、音、樂，而形成極為複雜的曲調。由聲而音，由音而樂，相對是簡單的事情；任何人都可以編制自己的曲調。（只是好聽與不好聽罷了）可是交響樂的複雜，絕非一般人可以編製。即便是一般音樂家，也不能編製。交響樂的作

曲，是一門科學，是調和各種聲、音、樂的專業科學。交響樂的出現，是人類的一種偉大成就。而這種成就的出現，是因為科學涉入音樂領域。交響樂的作曲家，是集合科學與藝術的人物。交響樂的流行，反應了音樂家對於科學的臣服。

然而，藝術家的認知，趕不上科學的進展。照相術發明，讓藝術家無法跟進。照相術是一個大發明，主要是它可以百分之百的複製客觀世界，毫無誤差。通過藝術的科學手法，可以儘量模擬客觀世界，但是做不到鉅細靡遺的仿真。藝術家一度利用科學製作藝術，但是，當科學對於模擬的本領超過藝術時候。藝術家的功用便失去了。利用科學模擬，效果遠遠超過利用藝術模擬。

因此，在文藝復興後的數百年，藝術家終於揚棄科學，走上純粹唯心的道路。在美術上，二十世紀各種光怪陸離的抽象派別，成為美術家對科學的反動。藝術家對世界的個人認知，取代了科學認知。一般人所謂看不懂現代藝術，即是因為現代藝術已經離開了客觀世界，而進入主觀的個人內心世界。音樂家對於科學方式組合而成的交響樂，也逐漸放棄。以原始民族強烈節奏為主的新興音樂，漸漸成為主流。

對於藝術的最嚴重打擊，在於電影的發明。電影與照相術的差別，在於電影是會動的藝術；電影把時間的因素加入藝術。它不但複製了客觀世界，還複製了可以移動、有時間序列的連續圖像。這種動態的複製，打破了數千年來的靜態複製常規。更為驚人的是，電影並非單純照相術的進步。因為時間因素的加入，它綜合了傳統上美術、

音樂、舞蹈、戲劇的表現方法。在一部電影中，可以同時看見美術、音樂、舞蹈、戲劇。因此，電影稱為綜合藝術，或者第八藝術。所謂第八藝術是指繪畫、雕塑、建築、音樂、舞蹈、文學，戲劇七種藝術之外的第八種。這種綜合了七種藝術的新形式藝術，對於其他藝術的影響，在於電影是一種廉價藝術。（此處所謂廉價，是指購買一張電影票）一種可以同時欣賞各類藝術的廉價藝術，讓傳統藝術家措手不及。在民主社會的俗文化與市場經濟的低消費氛圍下，對於花費昂貴的藝術，越來越少人願意投入。

電影把所有的藝術項目結合起來，使得藝術的各個項目界線模糊。而電腦的發明，給了藝術衰落最後臨門一腳。電腦的出現，讓藝術家的地位，更加大大降低。藝術是一種專業，是一種複雜的人文活動。在科學對藝術產生巨大影響後，電腦對於藝術的核心－專業藝術技術，造成不可逆轉的破壞。藝術的大宗，不過是聲音與圖像。現在電腦可以複製各種聲音與圖像，並且合成各種聲音與圖像。當聲音可以複製合成之時，音樂家的作曲技術顯得落後而有局限性。當圖像可以複製合成之時，美術家的造型技術，顯得落後而有局限性。

電腦不像攝影與電影，尚是真實的反映。電腦的合成技術，是一種創造。它可以完全沒有客觀真實作為依據，而無中生有的，展現非現實之聲音與圖像。這種電腦的創造，終將取代藝術的繁複技巧，並且取代藝術家。各種藝術的技巧，都在電腦的複製合成技術下，變得可以取代。藝術技術的消失，就是藝術工具的消失。如今，電腦這種新工具，顯然可以做到藝術家對聲音與圖像所做的表現。這不僅是藝術沒落的時代，也是藝術家沒落的時代。

因為民主與商業化的原因，藝術的欣賞，已經脫離文化金字塔的高層，而跌落至中層與下層。中下層社會的藝術品味，不會是深刻的品味。中下層對於藝術的要求，並不是「文以載道」與「寓教於樂」。換言之，中下層的品味，不是思想性的品味，而是純然娛樂。

當藝術變成一種純然娛樂的時候，深刻表現顯得多餘。藝術的要求只是刺激，永無止境的反覆與強化刺激。這種情況下，藝術變得太簡單了。藝術與心理的關係越來越少，而與生理的關係越來越多。藝術不再是美的追求、思想的追求，而與發洩同義。在民主的社會裡，不能否認人人都有接觸藝術的權利，並且提出對於藝術品味的主張。在民主的社會裡，更不能否認人人都有發洩的權利。發洩具有重要的荷爾蒙疏導功能。只是在這種趨勢下，藝術被犧牲了。那種感動人心而有啟發性的藝術，或將永不復見。取而代之的是速食性藝術；一種可以隨時買賣，具有毒品性格的速食性藝術。

分述九　漫視教育

教育的原始意義

中國有一句古話「十年樹木，百年樹人」。看起來，教育是很重要的事情。事實上，教育的地位，向來不受人重視；或許是其成效太慢，需要很長時間才能彰顯。然而，正因為它的彰顯時間長，一旦發生問題，也需要很長時間，才能補救。所謂「教育是百年大計」，對於教育的關注，需要高瞻遠矚的心態與決心。

教育在人類的活動中，不容易受到重視，因為它不如政治、經濟、軍事那樣強勢。同時，大家常常以為教育是小孩子的事情。殊不知，小孩子終將成人，小孩子的事情，就是未來成人的事情。沒有把小孩子教育好，可以預見未來世界的不良走向。

教育之重要，在於它是人異於禽獸的關鍵所在。人類在新石器時代，就已經躍居食物鏈頂端，並且有了自己的食物鏈。人為「萬物之靈」，在我們可見的世界中，是一點不錯的。動物之所以為人類所控制，除了人類腦子好、手靈巧以外，主要就是因為，人類會傳承自己

的發明與見解給下一代。動物即便再聰明，也沒有這種知識與經驗的
複製行為。每一代的動物，都與其父母一般，要從頭摸索生活上的點
點滴滴。動物年長之後，當然知識與經驗超過年幼動物。但是牠們無
法把其知識與經驗完整的傳播下去。例如，一隻馬戲團的小狗會走繩
索，該小狗絕對無法教會其他小狗走繩索，而需要馴獸師逐一的教
導。因此，動物的知識與經驗是封閉的；只是其個體的本領與記憶，
不能傳承。

傳承知識與經驗，是人類的一大本事。這種本事與人類語言有密
切關係。人類與猿猴相近，但是猿猴並沒有細緻的發聲系統，而產生
語言。人類的發聲系統，可以說與腦、手同樣重要：腦可以想事，手
可以把腦所想之事具體化；語言，則可以把腦、手所想像、所創造的
事物流傳下去。語言的出現，讓人類的知識與經驗可以傳之他人，傳
之後代。人類不必像動物一般，每一個體獨自摸索，其原因即在於語
言的交流。通過語言，互相交換知識與經驗，就是教育的開始。教
育，就是複製他人的知識與經驗。

如果語言是人類相互教育（以及教育後代）之始，則文字的出
現，大大強化了人類彼此之間的記憶傳輸。有了文字之後，人類對於
記憶的傳遞，更為準確。因為有了準確的知識與經驗，人類開始正式
累積所知所感，文明與文化便因此出現了。

在語言與文字之間，有一種東西，也肩負了傳播知識與經驗的重
擔。那便是圖像－在藝術的領域而言，就是美術。美術是一種靜態
的視覺產物。它不像語言文字那樣有連續性，可以對事物做詳盡的
描述。但是它可以傳達意念，一種不是很清晰、需要想像的意念。

原始人類常常在岩壁上留下圖像。那些圖像顯然有教育的功能，也就是傳達知識經驗的功能。

牛頓在有生之年，便已受人讚美。他說過一句話，「我只是站在巨人的肩膀上」。（也有人認為，他借用了前人的話，這句話並不是他首先說的）牛頓口中的巨人，便是文明文化，這個文明文化巨人，累積了數千年來人類的知識經驗。牛頓根據這些知識經驗，發明創造了新事物，讓這個巨人又增高了一些。這個巨人的形成，即是靠著教育，通過語言文字，使人類的代代文明文化，得以累積傳承。

政治、經濟與軍事，對於文明文化都有影響。但是教育直接塑造了文明文化。就歷史觀點而言，政治、經濟與軍事，並不是人類之所以成為人類的原因。今日人類之所以成為今日人類，是因為教育，是因為不曾間斷的教育所致。

教育內容的平衡點

人類是大腦強大的一種動物，大腦的強大，可以分為記憶力強大與理解力強大。此兩者有相輔相成的功能：因為記憶力強，腦中存有的資料多，有助於理解力發揮；因為理解力強，理解後的資料可以儲存為長期記憶。無論記憶力還是理解力，都是人類發展上的重要成就。這些成就的累積，便是文明文化。

人類的記憶力與理解力，基本上，可以區分為知識與經驗。知識較為客觀，經驗較為主觀。但是無論客觀主觀，都是人類寶貴遺產。

客觀的知識，傾向科學性的種種。主觀的經驗，傾向哲學性的種種。
前者是人類文明的主體，後者是人類文化的主體。（此處的哲學性，
與當今所謂的哲學　philosophy　有一點出入。哲學性包括任何主觀認
知上的事物－思想、宗教、語言、習俗、藝術，等等）如果用今天的
學術術語，文明有接近自然科學的意思，文化有接近人文社會科學的
意思。

　　因為政治的操作，現今世界的地緣關係緊密。在如此緊密的關係
中，雖然說求同存異，但是強勢文化對於弱勢文化的侵略，隨處可
見。也即是說，人類文化的多樣性，遠遠不如以往。這種現象，就是
所謂的全球化。一般以為，全球化是政治與經濟的事情。殊不知，全
球化對於文化多樣性的影響，超過其他。這種文化的統合，是一種意
識形態：大家都要有一樣的思想，一樣的宗教，進而有一樣的語言、
一樣的習俗，一樣的藝術。

　　文化的統合，就人類長遠而言，是好是不好，很是難說。但是在
其過程中，必然犧牲文化的多樣性，犧牲了人類歷史上的種種主觀思
考。這種犧牲，導致人類文化的趨於一元。強勢文化統一弱勢文化，
強勢文化消滅弱勢文化。文化跟著政治經濟走，是無法避免的事情。

　　文化的消長問題，主要透過教育。如果實行一樣的教育制度，一
樣的教育內容，自然文化就統一了。所以，教育與文化是一體的兩
面。人類文化的趨於統一，是因為人類教育（內容）趨於統一。文化
的多樣性，活潑了人類的主觀思考能力。如果文化統一起來，必然是
無趣的社會；人類的主觀思考能力，也將受到抹煞。這種趨勢，為現

實上的政治意識形態左右。因為，教育並不是一個獨立的機制；教育是社會走向的未來藍圖，這張藍圖，操縱在政治人物手中。文化的多樣性，在於教育的多樣性。教育統一了，文化就統一了；或者說，沒有特色了。

　　除去政治的影響，科學對於教育的影響，也是顯而易見。在一段長時間裡，教育的內容偏重人文而不偏重科學。西方世界，宗教的思想是教育主軸；凡接受宗教教育者，大約即可以在社會上安身立命。東方的情況亦復如是，兩千年來，儒家的思想是教育主軸。凡接受儒家教育者，即可以成為儲備官員，並且可能成為國家的正式官員，而飛黃騰達。（儒家學生、官員、社會菁英，只是在社會上出頭的幾個階段）無論東西方，在宗教與政治的庇佑下，人文學術的勃興，可以想見。一個受教育的人，等同一個有思想的人。（無論該思想是否全面，是否偏頗）教育的目的是傳遞文化，主觀而具有廣義哲學性的內容，一直是教育的主要內涵，一個知識分子，即是一個受過教育而有思想的人。

　　這種情況，在文藝復興之後，逐漸改變。科學的興起與實用，令教育內容發生質變。文化性格的主觀哲學教育，被文明性格的客觀科學教育瓜分。時至今日，這種文化的哲學教育與文明的科學教育，正以飛快速度作比例上的傾斜。宗教與政治，不再能保障有思想的人過好日子。與此相反，社會上的工作，日益與科學相關；社會與經濟，需要大量有科學知識的人才。沒有什麼思想，但是具有專業科學知識的人，可以過好日子。這種轉變，與經濟的要求息息相關，也與人類社會的科學化息息相關。教育必須配合這種轉變。人文科學，在當代

與未來，不再是一種知識，而是一種修養。

自然科學與人文科學的消長，是文藝復興以來的大趨勢。人與機器的關係越來越緊密；與機器相關的知識，越來越受到重視。這種趨勢在電子、電腦科學出現後，更是加快進行。自然科學與人文科學的消長，可以說是文明與文化的消長。人類正走向有文明而無文化的路途。教育在這條路途上，指引著未來的方向。

科學是知識的累積，修養是經驗的累積。當人類教育為了配合社會經濟變動，而違背教育的原始宗旨（傳承知識與傳承經驗，同時並進）時候，人類將面臨前所未有的風險。那種風險，可能導致人類固有文化的全面解體。而代替以一種無情的機械文化。

傳承者的地位

教育，就是傳承知識與經驗。人類社會初始，大約最有地位的教師，是獵人與巫師。在人類與其他生物地位相當時，生活的重心在於覓食。如何獵得其他生物，而不被其他生物獵食，是最重要的事情。這種事情，包括了武器的知識，也包括了各種獵食的戰術與戰略。獵人的知識與經驗，關係密切，沒有相互隔閡或者脫節的情況。因為，那是生存的知識與經驗。如果有過於理論的部分，則沒有任何用處，甚至導致生命危險。獵人的知識與經驗，有科學的成分。

如果說，獵人是最實際的唯物教師，相對而言，巫師所傳授的知識與經驗，就有比較唯心部分。獵人傳承的，是個人的生存技術；巫

師所傳承的，是團體（部落）的生活方式。例如：信仰、道德、法律、歷史，等等。一個是生存教育，一個是生活教育。一個是生存方法，一個是生活態度。這裡面，有點科學教育與人文教育的味道。

獵人與巫師相較，當然巫師的地位崇高。其原因，在於巫師與酋長的關係不同。在人類歷史上，很長時間，政教合一是最有利於統治者的制度。隨著人類社會的進步，農業、牧業興起，與野獸的鬥爭不再是生存之必要；獵人地位下降。也就是說，打獵與人類的經濟生活逐漸脫勾。更加上，社會日趨龐大複雜，統治技術日趨困難。人文教育有助於團體和諧與凝聚，人文教育受到重視，超過科學教育。

教育是一種傳承，其目的，一是讓受教者得以謀生，二是讓受教者與人共處。後者受重視，則人文教育必然抬頭。西方的人文教育，包含在宗教信仰之中。東方的人文教育，包含在仕宦道路之中。那個時代裡，前者謀得教會一職，後者成為政府官員，大約名利都在其中了。這種情況下，能夠傳授這些知識與經驗的教師，當然受到尊敬。

西方的宗教教士，長期受尊敬。中國的（儒家）教師，更是受尊敬到無以復加。例如「天地君親師」說法，教師地位，僅次於神明、國王與父母。又如「事師如事父」，對待教師要像對待父親一樣；孝順父親的同時，也要孝順教師。存在決定意識，任何唯心文化現象背後，一定有唯物的硬道理。人文的教師地位高，因為跟隨教導之後，可以憑藉其知識與經驗，謀得地位與優渥生活條件。

人文教育是教育主體這件事，從文藝復興後，有了變化。因為科

學的興起，人類生活中的相關事務，都有科學涉入。也即是說，人類
工作性質發生變化，人類變得依靠機器生活，依靠機器謀生。科學文
明對於經濟的影響巨大。當人類因為科學而得以謀生的時候，科學教
育的比例提高，傳統人文教育受到擠壓。這種現象，可以說是經濟主
導了教育方向。什麼教育容易找好工作，什麼教育便受到學子青睞。
這種變化，是經濟上的硬道理，也是教育上的硬道理。科學教育比例
提高，導致科學教師與研究者比例提高。人文教育比例降低，導致人
文教師與研究者比例降低。這裡面，當然就是科學研究者與教師，容
易找工作的經濟問題。回到獵人與巫師的老問題，獵人的地位再次提
高了，巫師的地位再次低落了。歷史反反覆覆，便是如此隨著經濟而
變動。

　　除去經濟所致的原因，政府忽視人文教育，也與個人主義受重視
有關。從政治上講，威權式的政府逐漸過時。威權政府，最重視人民
的和睦與凝聚。因此能夠團結人心，講究相處之道的人文教育，必須
大力提倡。民主時代，每個人都有投票權利，每個人都依據自己的個
人利益投下一票。政府的運作，決定於選舉，決定於相互抗爭的民
意，而非全民共識。人與人之間的相敬相愛，並非必須。如古代一般
的重視人文，不再是政府辦教育的首要選項。畢竟，這不是一個集體
主義勃興的時代了。人文教育，與集體主義之間，有一種微妙的連
結。科學教育，與個人主義之間，也有一種微妙的連結。

　　政府所以忽視人文，重視科學，還有一個重要原因，便是軍事。
科學導致武器的一日千里；以往軍事依靠兵強馬壯的情況，已不復
見。今日軍事，可以說完全取決於科學上的優勢。軍人的身體素質與

數量，都可以用科學彌補。在強國即強軍的理念下，強國必須強化科學。提高科學教育、科學教師與研究者的地位，當然是教育政策上的第一要務。人文教育與科學教育消長中，軍事武器演變，是一個隱性但實際的政策考慮。從遠古的獵人開始，科學與覓食緊緊相連。軍事，是一種激烈的覓食手段。科學的發展與武器的發展，在人類歷史上，始終走在一條路上。

現代人文教育、教師與研究者地位衰落，還有一個無奈的客觀因素：科學的興起，是最近數百年的事情；而人文－人與人相處的問題，已經討論過數千年之久。人文的問題，雖然有各種理論，但是經過長時間實踐，並沒有什麼新意。而科學的範圍浩大，人類對它所知甚少。甚者可以說，科學與人文相比較，科學是一個新興的領域。因為不知道的事情太多，而引人好奇，引人願意投入，也是必然。今日對於人文知識與經驗，願意花時間的人，常常被視為與社會發展背道而馳，而有些浪漫主義味道。

中國有句形容教師工作的老話，叫做「傳道、授業、解惑」。在人文教育衰弱的時代，傳道與解惑都談不上了。教師的工作，只剩下授業部分。古代的師生關係，也將發生質變。

師生關係是一種倫理關係，所有的倫理關係中，都隱隱含有利害。師生的倫理淡薄，一如其他關係的淡薄一樣，都是因為科學導致的經濟環境發生變化。不過，師生關係的變化，不只是一個時代的現象，它會影響許多世代；影響人類文化傳承問題。人類的教育，是為了延續知識與經驗。如果在「傳道、授業、解惑」上，只剩下授業，

那麼師生關係就只是簡單的商業運作－對價關係。這種商業的教育模式，讓知識部分可以延續，但是經驗部分，將大大損失。換句話說，傳道與解惑－經驗的傳承，教師將吝於教導。因為那是對價關係中的額外付出。畢竟，經驗的傳授，是教師的生活心得，如果教導學生，必然是感情因素使然。如果教育只能複製知識，而沒有經驗傳承，那麼教育功能即將跛腳，它的影響，就是人類文明程度越來越高，文化程度越來越低。這個問題，可以說是人類的存續問題。因為人類將越來越有科學能力，但是越來愈沒有人文素養－不知道如何與人相處；人類彼此之間的衝突必然增加，並且因為科學的參與而慘烈。

未來的世界，因為科學進展，將導致人與人之間疏離。教育上，因為電腦、網路與 AI 廣為運用，教師的地位，將漸漸由機器取代。機器教師的特色，正在於知識傳授，而非經驗傳承。機器對於知識，較諸人類更為廣博與精準。並且，機器不知疲累，沒有情緒，它對於學子具有完全耐心。這種特色，是傳統教師不能比擬的。然而對於經驗部分，機器則不能傳承。因為，經驗本是主觀唯心的事情，主觀唯心的事情，不能數據化，不能為機器理解。久而久之，人類將對於向機器學習，習以為常。由機器教出來的人類，將越來越像機器。缺乏感情、同理心與同情心。

但是，人類還是有主觀唯心的需要。在宗教為科學打敗，教育為科學打敗的情況下，人類或者只有求助於心理醫生，或者各種諮詢顧問。然而，在只有對價關係而無感情的關係中，人類在精神與情緒的疏導問題上，不會有什麼成效。

　　未來的世界，教師地位非但下降，而且可能消失。因為單純的對價關係，教師不再投入感情的時候，人類教師的價值，遠遠不如電腦、網路與 AI。機器教師，將成為人類文明的傳播者。人類將受教於機器，謀生於機器。機器佔據人類文明的大部分，似乎指日可待。屆時，人類重要還是機器重要；何者才是真正的人類文明主體，將是一個哲學問題了。

　　教育在人類文化中，始終不是受重視的項目。但是它卻影響著人類的走向。未來，是一個有文明而沒有文化的世界，或者不是危言聳聽。

分述十　漫視兩性

生命的意義

生命的起源，是人類的一個大議題。除去神學的創造論，大約由無生命而有生命，是一個自然的過程。生命的出現那樣困難，（或者偶然）能夠維持存續，便是生命存在的最大使命。因此，生命以存續為目的，其重要方式為覓食；覓食可以維持生命體的能量與活力；可以維持生命體的短時間存續。然而說到長時間，生命體終究會衰老死亡。為了長時間的存續，生命必須要複製－讓一個新的生命出現。有的原始生物可以自體繁殖，達到新生的目的。多半的生物，必須通過兩性繁殖。這裏有兩性（雌雄）同體，與兩性異體的分別。高等生物以兩性異體情況居多，也就是要通過雌雄交配，達到繁衍的目的。

生物的交配，並不是只有動物如此，植物一樣需要交配。植物通過各種方式（風媒、蟲媒等等）達到授粉目的，產生下一代生命。交配的原因，在於令基因的選擇具多樣性，出現不同的生命個體，因應自然界的種種變化。基因的多樣性，可以導致演化，可以讓生命對於自然變化，更具挑戰性。演化－形體與功能的變化，是生命的必然歸

宿，也可以說，生命的延續，就在於等待演化。

從這個角度看來，動物比植物進步。除去高等動物的思維能力外，動物因為可以移動，在基因選擇的多樣上，交配選擇的多樣上，顯然比植物具有主動性。主動與被動，有時效的問題。主動者快速，被動者緩慢。

動物可分為獨居與群居兩種類型。從基因的選擇而言，獨居動物居於劣勢，群居動物居於優勢。因為獨居動物的同類不在一起，要尋找配偶交配，是非常偶然的事情。群居動物相聚一處，交配機會當然大於獨居動物。可能性的增加，是一個數字問題。這個數字，顯示了交配方式的高下與優劣。這樣說來，獨居動物與群居動物之間，又有一種進步與進化問題。

婚姻制度與賣淫

人類的早期情況，與一般動物無異。大約自新石器時代開始，人類因為農業與畜牧業興起，有了因應合作需要的社會。也就是部落或者村落。這種新的社會型態之最大特點，就是許多家庭群聚一處；許多雄性與雌性群聚在一起。這種現象，與其他動物的群聚方式顯然有別。其他的動物，多半是一個雄性帶領一群雌性，組成基本單位。各個單位之間，很少來往。其主要原因，便是阻止雄性荷爾蒙相聚集，發生衝突。人類的許多雄性與許多雌性聚集的社會，當然有賀爾蒙爆發的問題。人類的特殊交配方式，就因此而出現。那就是制度化而非自然選擇的交配。人類為了避免荷爾蒙衝突，設下了婚姻制度。該制

度的意義，在於每一個社會成員，通過儀式，進行一對一的長時間交配。每一社會成員，不得與儀式外的成員交配。這個儀式，就是婚姻制度的基礎。

人類本是一種動物，婚姻是違反自然，而由社會約定俗成的制度。這種制度的推行，有利於社會和諧，令荷爾蒙有發洩的管道。同時，這種制度，也有公平的意味，與分配的意味。凡舉社會成員，常態上說，都可以分配一個交配者。這種公平與分配，絕對不存在於動物社會。動物社會的荷爾蒙問題，是贏者全拿（winner takes it all）法則。動物社會之交配不具公平與分配，是為了演化，是為了讓最好的基因得以延續，讓次等基因不再繁衍。

人類的婚姻制度，是為了顧全社會和諧，而不是為了演化需要。也可以說，婚姻制度中的公平與分配，違反了演化需要－它讓所有的基因，無分優劣，都可以傳遞下去。從生物學角度言之，人類因為婚姻制度，而不再演化，甚至退化，並不是危言聳聽。

人類的體能，較諸原始人類，顯然退化。人類的智力，是否不如古人，則無法得知。今日人類的文明文化，並非今日人類獨創，而是累積了長時間的知識與經驗遺產。以今日的文明文化之高，相對於古人的文明文化之低，而以為今人較古人聰明，有邏輯上的謬誤。

婚姻制度的發明，是為了減少荷爾蒙衝突，維繫社會和諧。但是這種制度的推行，早期必定窒礙難行。因為，它是違反人類先天本能的，強加於人類社會的後天文化。對於這種不合於人類天性的制度，人類相繼發明了道德、法律、宗教以維繫之。在道德與法律上，忠於

儀式配偶，禁止與儀式配偶外的異性交配；在宗教上，遵守神明意志
（與神明的約定）維護婚姻制度的神聖。道德、法律與宗教，向來被
視為文化的上層構築，被視為人異於禽獸的重要關鍵。殊不知道德、
法律與宗教之發明，不過是為了處理人類社會最基本的問題：因為不
合於自然的群居，導致的荷爾蒙衝突。這個問題，或者不是上述三者
可以解決的，而是未來科學可以解決的。人類的社會（群居模式）無
法改變，只有從科學（醫學）上做基礎的調整。人類看清楚這一點，
還要假以時日；到了道德、法律與宗教，不再能維繫社會和諧運作的
時候，才會受到重視。

　　婚姻制度，是因為解決人類不自然群居，而設計出來的，具有公
平性與分配性制度。它的存在，是為了解決社會的荷爾蒙衝突，解決
人類的性需要。人類的性需要與其他動物不同。其他動物，多由雄性
配合雌性的發情期，而進行交配。而人類可以時時交配，無論發情與
否。因此，人類是性生活最為頻繁的動物。這個情況，可能與人類女
性性反應特別強烈有關。觀察其他動物，雌性非但有固定的發情期，
也少見性高潮的反應。在人類男女都有強烈性反應的情況下，交配除
了繁殖，有了愉悅的情緒產生。人類女性的性高潮，是一個謎樣的事
情。或者女性的性興奮，會增加男性的性興奮，而導致二者更密切的
關係？其目的又是什麼呢？人類有許多奇異的行為，在演化設計上，
很難解釋清楚。

　　如果說，女性的性高潮是一種回饋行為，（讓男性更為愉悅）那
麼，女性自慰可以獲得更強烈的性高潮，又如何解釋？

　　婚姻制度，或者是一個公平的制度，卻不是一個合理的制度。

（這個合理，不是指社會的合理性，而是指生物的合理性）婚姻制度可以（約略的）保證人人具有交配權，卻不能保證人人滿意。自古以來，婚外性行為的比例，可能超乎想像。除了秘密不為人知的情事（affair）外，賣淫是一個最古老的行業，最龐大的行業。至今方興未艾。

賣淫這件事情出現，就生物學來講原因有二：一，男性隨時可以出現的性衝動。二，女性不拒絕排卵期以外時間的性交。就社會學來講原因有一，男性不滿足婚姻制度的約束－只能與儀式下的法定配偶性交。（其實社會學說法，可以說是來源於生物學說法的第二項）這件事情，男性雖然居於主動；卻沒有什麼是非對錯問題，而是人類制度與人類天性不能相配合。在賣淫過程當中，因為有對價關係，女性顯然居於弱勢－女性出賣自己身體，換取金錢；讓男性得到性交權利。也就是，女性以自己的身體，作為一種覓食的方式；男人以金錢，滿足自身的求偶需要。賣淫行為，是人類社會重男輕女的一個原因。（因為，男性從婚姻制度與賣淫行為中，同樣可以得到荷爾蒙紓解）賣淫的交易性格，讓女性物化自己，男性物化女性。這種觀念帶入婚姻制度，女性被徹底矮化，所以才會有恩格斯（Friedrich Engels）「婚姻是合法賣淫」那種偏激言論的出現。

野豬與野狼的權力理論

生物有求偶的需要，生物更有覓食的需要。不能求偶，物種群體長時間便要滅絕；不能覓食，生物個體短時間就要死亡。這兩件事情，有輕重問題，有緩急問題。覓食或者說吃東西，是生物得以存在

的最迫切需要。

群體動物除了交配機會增加，另外一個特色，就是群體覓食。群體覓食得到食物的可能性，大於個體覓食。群體覓食有合作關係在其中，更能對付體型相似獵物，以及大於自身體型的獵物。

一般而言，群體動物中雄性較雌性為大，（大象是少數例外）人類也是如此。體型大表示力量更大，擁有更多的暴力。暴力在動物覓食過程中，居於主要地位。（在覓食過程中，也有詭詐成分，但是最後一擊，必須依靠暴力）擁有暴力，是覓食能力強大的表現。這是父系社會的基礎。在新石器時代以前，人類如動物般的穴居野處。當有獵物出現時候，（例如一隻野豬）是男性還是女性捕捉呢，當然是男性。原因無他，因為男性力氣大、跑得快；捉到的可能性大。捕捉野豬是危險的事情，男性未必願意捕捉。（要冒著生命的危險）但是，如果男性不去捕捉，則大家只有餓肚子。所以，男性因為生物構造，而不得不冒險。男性是獵食角色，女性是分享角色。這裡面就出現了權力與權利。男性是食物的提供者，在分工上居於要角。

吃完野豬後，來了一隻野狼，要把大家吃掉。此時，是男性或女性去驅趕呢。還是男性。原因無他，還是因為男性力氣大、跑得快。驅趕野狼是危險的事情，男性未必願意驅趕。（要冒著生命的危險）但是，如果男性不去驅趕，則大家只有被吃掉。男性因為生物構造，而不得不冒險。男性是保護者，女性是被保護者。這裡面又出現了權力與權利。男性是保護的提供者，在分工上居於要角。這種事情－食物與保護（現代術語中的經濟與安全）就是生物界吃與不被吃的叢林

法則。男性長期較女性佔優勢，看似一種社會的不平等，實則本質上，是一種生物的不平等。這種不平等，確保了人類的早期群居生活得以維持。

新石器時代以後，人類因為農業與畜牧業，進入部落或村落生活。野豬與野狼所代表的危險性出現質變。因為食物的獲得來自農業與牧業，過程幸苦但是不危險。因此，大量的女性參與經濟活動－提供食物。久而久之，經濟上的權力，便由男女共享。當女性對於經濟的貢獻，超過男性時，新石器時代的母系社會便出現了。

觀察今日尚存的母系社會，女性的確付出最多的勞力活動；而母系社會中的男性，似乎疏懶於工作；無怪乎權力發生轉移。群體中的權力，出自於貢獻。這是權力的生物性表現。（而非權力的社會性，政治性表現）

然而，野豬與野狼理論並未消失。新石器時代，野豬問題，由農牧取代；野狼問題，則要轉向對付其他的人類。人類可以選擇不事生產，而由掠奪維生。（動物亦然，亦有掠奪同類食物的現象）當人類遇到這種事情，主掌經濟的女性與母系社會難以應付。男性的暴力特質又有了發揮，戰士的角色，必須由男性負責。人與人之間的鬥爭，部落與部落之間的鬥爭，讓男性繼續掌握安全上的權力。

經濟與安全，野豬與野狼，始終是人類的大問題；只是面對的對象改變了。人類之間的掠奪從來沒有緩和，鬥爭與戰爭與日俱增。（那是因為，農牧業可以累積大量值得掠奪的物資）在吃與不被吃的叢林法則上，不被吃的那一部分，始終由男性掌握。並且，隨著爭奪

的加劇，男性的地位又益發重要起來。在生產（經濟）與保護生產
（安全）兩者之間－凡是生產重要（沒有什麼被掠奪風險）的群體，
繼續保持母系社會。凡是保護生產重要（經常有被掠奪風險）的群
體，則恢復了父系社會。

　　人類歷史，可以說宏觀的說，即是一部掠奪史。因此，母系社會
只是新石器時代的一個片段。進入歷史時代以後，保存母系社會的群
體稀少。經濟與安全，野豬與野狼，像是鐘擺動作；哪一方面重要，
就向哪一方向移動。這種移動，就是男權與女權、父系社會與母系社
會的分野。

教育、科學與男女平權

　　男女在社會與婚姻中的不平等，近百餘年間，獲得改善。主要由
於兩件事情的導致。第一件事，是教育的普及。第二件事，是科學的
興起。

　　長久以來，經濟活動與教育並沒有太大的連結。農牧社會中，經
濟活動與經驗傳承關係密切。自從文藝復興開始，西方漸漸進入工商
社會。知識的受重視與城市的興起，使得職業分工越發精細。在社會
上工作，知識的比重，特別是專業知識的獲得，變得重要。專業知識
的獲得，就與教育發生關係了。

　　在工商社會中，勞心與勞力的工作比例，發生變化。在知識即是
力量的原則下，勞心工作－依靠知識而獲得報酬的工作，越來越吃

重。凡是沒有專業知識的人口，只有進入工廠，收入有限。在社會階級上，進入工廠，依附機器工作的人口，稱為勞工階級。男性與女性，都可以作為勞工階級，但是談到經濟實力與社會影響力，則勞工顯然不是經濟的上層構築。工商社會中，經濟的上層構築是與專業知識有關的工作；也就是受過教育的人，才能擔當的工作。

傳統上，女性並不接受教育。中國的儒家教育制度中，完全排斥女性。（所謂「女子無才便是德」）男性與女性同樣受教育，也就是國民義務教育，大約以德國為最早，時間在十八世紀。女性受教育，是兩性平權的基礎。因為女性受教育，便有了知識，可以進入社會參與較為高級的工作。也因此，女性的經濟能力與男子的經濟能力，距離縮短、平等甚至超過。這個現象，隨著國民義務教育時間延長，以及女性接受高等教育的普及，有了質與量的改變。

教育平等與天賦人權有些關係。受教育既然是人人具有的權利，則不分男女皆應有此權力。天賦人權原來是藉由宗教術語，體現的一種政治信仰。人人是否應該都有政治權力，是可以深入探討的問題。可是，男女受教權平等，是沒有可爭議的事情。教育的平等，以致於經濟的平等，是女子地位提高的重要原因。在野豬與野狼的權力理論下，女性終於突破了先天的限制。在體力（體型）不如男性的情況下，有了掌控經濟的本領。這個本領就是知識，就是通過教育而獲得的知識。甚至，未來女性因為受教育，而覓食本領（經濟能力）普遍超過男性，也不是不可能發生的事。

女性因為教育，而掌握了經濟的（吃東西）能力。但是，掌握安

全的（不被吃）能力，仍然受制於體力（體型）不如男性。這種情況，並沒有從文藝復興以降，逐漸解決。從事戰爭行為者，基本上都是男性的工作。到了在二十世紀晚期，這個局面有了明顯轉變。

二十世紀晚期，人類進入電腦與網路的世界。各種傳統機器，受到重大影響。其中，武器的進化，更是一日千里。以往的陸、海、空軍槍砲式武器，多已電子化。在武器電子化的過程中，男性力氣大、跑得快的體力（體形）優勢，可以說喪失殆盡。任何武器的使用，不過是一次按鈕的問題。現代戰爭，又稱為按鈕戰爭。操縱按鈕，無論男性女性，都可以輕易完成。女性掌控安全問題的能力，因為科學發展，也與男性平等。安全的掌控，是一種權力展示。在野豬與野狼的權力理論下，女性也突破了先天的限制。在體力（體型）不如男性的情況下，有了掌控安全的本領。

經濟與安全問題的掌控，是權力的來源。因為教育與科學，這兩項長久為男性控制，導致男權勝過女權的情形，在未來不復得見。男性女性的權力（與權利）；唯有各憑努力，以獲得社會認可。

婚姻解體與家庭危機

女性與男性在社會上平權：因為教育－使得女性有了掌控經濟的力量；因為科學，使得女性有了掌控安全的力量。女性在社會中的形象與地位，與以往大大不同。這種不同，從社會下降至家庭，以致夫妻間的角色，有了重大改變。長時間以來，家庭中的角色，是男主外女主內，也就是男性工作以社會生產為主，女性工作以家庭事務為

主。這種情況，不能說是平等，而有輕重之分。主外重要於主內，男性重要於女性。這種輕重現象，是傳統家庭的構成要素。

家庭作為人類社會的最小政治組織，亦有簡單分工。分工重者，掌握權力，引導家庭中的種種運作。這種情況，並非人類社會獨有，凡群居動物，皆是採取這種家庭模式與分工制度。

人類的分工，造成了社會階級。家庭的分工，造成了家庭階級。事實上，凡組織，必有階級；如果沒有階級，沒有高下，則組織不再立體，而變成平面組織。平面組織，是不是一種（有效的）組織形式，很是難說。因為在這種組織中，各個成員，不是有如一盤散沙，就是衝突不斷。這是民主政治的問題，也是未來家庭的問題。民主政治，可以用各種法律，解決鬆散與衝突問題，以達成共識。家庭中，則很難運用法律一般的機制，解決平權所造成的問題。在婚姻中講民主，就是兩個人講民主。在沒有多數的情況下講民主，是非常可笑的一件事情。

任何組織，都是政治組織。組織，必須有經濟的維持，與安全的維護。一個不能以階級來掌管經濟與安全的組織，就是一個各說各話的組織。前面所謂的一盤散沙或者衝突不斷，就是這個意思。

家庭，是通過婚姻制度產生的人類最小政治組織。當經濟與安全的能力相當時，男性與女性都認為在階級上，可以平起平坐，而沒有高下。這種家庭，在政治學而言，很難運作。主觀的個人主義，與客觀的生物性提升，讓這種運作更為困難。

　　經濟（捉野豬）與安全（趕野狼）能力的平等，必然導致政治的平等。家庭是個政治團體，也是一個最基本的互助團體。如果政治上平等，那麼互助問題，就要靠自動自發的道德（有感情，亦可視為有道德的一種）來維繫。然而，未來（包括今日）是一個道德蕩然的社會。道德的不彰，要靠法律解決。一個家庭組織，可以一如政治組織，依靠法律解決問題嗎。當然也可以，只是那種解決方式，敲響了婚姻制的喪鐘。

　　婚姻制度，是解決人類性慾與繁衍的一種制度。男女的平權，是解散這種制度的重要原因。當男女（在經濟與安全上）平權，各不相讓，而又有結合的需要時，（包括性慾需要與繁衍需要）人類恐怕要走上折衷的路子：依靠法律約束，組成短期的法定同居：解決性慾問題，解決子嗣的法律憑證問題。那是一種婚姻與同居之間的混合體制。古老神聖的婚姻制度，便壽終正寢了。

　　一旦婚姻解體，接下來的問題，即是家庭的解體，以及子女的教育問題。人在成長過程中，接受家庭教育與學校教育。學校教育，對於理性人格的培養有決定性。家庭教育，對於感性人格的培養有決定性。婚姻制度一旦解體，人類將喪失感性教育的受教機會，而變得冷漠無情。當然，那種新人類，或者更適應未來的機器世界，也未可知。

王大智作品集　青演堂叢稿七輯隨筆　　9900A07

史學家的望遠鏡

作　　者	王大智	
校　　對	王大智	

發 行 人	林慶彰
總 經 理	梁錦興
總 編 輯	張晏瑞
編 輯 所	萬卷樓圖書股份有限公司
封面攝影	王美祈
封面設計	宋樵雁

發　　行　萬卷樓圖書股份有限公司
　　臺北市羅斯福路二段 41 號 6 樓之 3
　　電話　(02)23216565
　　傳真　(02)23218698
　　電郵　SERVICE@WANJUAN.COM.TW
香港經銷　香港聯合書刊物流有限公司
　　電話　(852)21502100
　　傳真　(852)23560735

ISBN 978-986-478-526-1
2021 年 8 月初版
定價：新臺幣 320 元

如何購買本書：

1. 劃撥購書，請透過以下郵政劃撥帳號：
　　帳號：15624015
　　戶名：萬卷樓圖書股份有限公司

2. 轉帳購書，請透過以下帳戶
　　合作金庫銀行　古亭分行
　　戶名：萬卷樓圖書股份有限公司
　　帳號：0877717092596

3. 網路購書，請透過萬卷樓網站
　　網址　WWW.WANJUAN.COM.TW

大量購書，請直接聯繫我們，將有專人為
您服務。客服：(02)23216565 分機 610

如有缺頁、破損或裝訂錯誤，請寄回更換

國家圖書館出版品預行編目資料

史學家的望遠鏡 / 王大智作. -- 初版. -- 臺北
市：萬卷樓圖書股份有限公司, 2021.08
　　面；　　公分. -- (王大智作品集；9900A07)
(青演堂叢稿. 七輯)
ISBN 978-986-478-526-1(平裝)
1.言論集
　　078　　110014172